KRISHNAMURTI

La Révolution du silence

TEXTES CHOISIS PAR MARY LUTYENS
ET TRADUITS PAR CARLO SUARÈS

STOCK

Titre original :

THE ONLY REVOLUTION
(Victor Gollanez Ltd, London)

LA RÉVOLUTION DU SILENCE

EN INDE

1

La méditation n'est pas une évasion. Ce n'est pas une activité qui vous isole et vous enferme en vous-même, c'est plutôt une compréhension du monde et de ses évolutions. Le monde a peu à offrir en dehors d'aliments, de vêtements, d'abris, et de plaisirs doublés de chagrins.

La méditation consiste à vaguer en dehors du monde. Il faut être totalement en dehors du monde, alors il a un sens, et la beauté des cieux et de la terre est toujours présente. Alors l'amour n'est pas plaisir, mais le départ d'une action qui ne provient ni d'une tension d'esprit, ni d'une contradiction, ni de la vanité du pouvoir.

La chambre surplombait le jardin, et dix ou douze mètres plus bas était le fleuve large, étendu, sacré pour certains, mais pour d'autres simplement une belle surface d'eau, ouverte aux cieux et à la splendeur du matin. On pouvait toujours apercevoir l'autre rive, avec son village, ses arbres étalés et le blé d'hiver récemment planté. De cette chambre, on voyait l'étoile du matin, et le soleil se lever doucement au-dessus des arbres ; et le fleuve devenait la route dorée du soleil.

De nuit la chambre était très sombre, la fenêtre grande ouverte montrait le ciel du Sud, et dans cette chambre, une nuit — avec un grand froissement d'ailes — un oiseau vint. Il fallut allumer et se lever : l'oiseau était sous le lit. C'était un hibou. Il avait à peu près cinquante centimètres de haut, d'immenses yeux ronds et un bec redoutable. Nous nous sommes, tout près l'un de l'autre, fixés du regard. Il était effrayé par la lumière et par la proximité d'un être humain. Nous nous sommes regardés un certain temps et il ne s'est jamais départi de la totalité de sa taille et de sa féroce dignité. On pouvait voir ses griffes cruelles, ses plumes légères et ses ailes serrées contre son corps. On aurait aimé le toucher, le caresser, mais il ne l'aurait pas permis. Alors on refit l'obscurité et pendant quelque temps, tout fut silencieux dans la chambre. Puis il y eut un bruissement d'ailes — on pouvait sentir sur le visage un déplacement d'air — et le hibou avait pris la fenêtre. Il n'est jamais revenu.

C'était un très ancien temple. On le disait vieux de plus de trois mille ans, mais vous savez comme on exagère. Il était certainement vieux ; d'abord bouddhiste, il était devenu, il y a environ sept siècles, hindou, et à la place du Bouddha on avait mis une idole hindoue. L'intérieur était très sombre, avec une atmosphère étrange. Il y avait des salles soutenues par des piliers, de longs couloirs avec de magnifiques sculptures, et l'odeur de chauve-souris et d'encens.

Les dévots, traînassant, arrivaient, fraîchement baignés, mains jointes, faisaient le tour de ces couloirs, se prosternaient chaque fois qu'ils repassaient devant l'idole revêtue de soies brillantes. Dans le sanctuaire le plus reculé un prêtre psalmodiait et il était agréable d'entendre du sanscrit bien prononcé. Il n'était pas pressé et les mots sortaient des profondeurs du temple avec grâce et naturel. Il y avait là des enfants, des vieilles dames, des hommes jeunes. Ceux qui appartenaient aux professions libérales avaient mis de côté leurs complets européens ; revêtus de *dhotis*, mains croisées et épaules nues, ils étaient assis ou debout, dans une attitude de grande dévotion.

Et il y avait un étang plein d'eau — un étang sacré — avec de nombreuses marches y accédant et, tout autour, des piliers de roches sculptées. On arrivait au temple par une route poussiéreuse, pleine de bruit et de soleil, et ici l'épaisseur de l'ombre était paisible. Il n'y avait pas de cierges, pas de gens agenouillés, rien que ceux qui accomplissaient leur pèlerinage autour de l'autel, remuant silencieusement leurs lèvres en quelque prière.

Un homme est venu nous voir cet après-midi, de religion védantique. Il parlait très bien l'anglais, ayant été instruit dans une université, et avait un intellect brillant et tranchant. C'était un avocat qui gagnait beaucoup d'argent. Ses yeux aigus vous regardaient d'un air spéculatif, vous soupesaient quelque peu anxieusement. Il avait apparemment beaucoup lu, y compris certains textes de théologie occidentale. C'était un homme d'âge moyen, plutôt maigre et haut de taille, possédant la dignité de l'avocat qui avait gagné de nombreux procès.

Il dit : « Je vous ai entendu parler et ce que vous dites est du pur Védanta, mis à jour, mais de la plus ancienne tradition. » Nous lui demandâmes ce qu'il entendait par Védanta. Il répondit : « Monsieur, nous postulons que seul *Brahman* crée le monde et son illusion, et que l'*Atman* — qui est en tout être humain — provient de ce *Brahman*. L'homme doit se réveiller de cette conscience quotidienne de pluralité qui est le propre du monde manifesté, tout comme s'il cherchait à se réveiller d'un rêve. De même que le dormeur crée la totalité de son rêve, la conscience individuelle crée la totalité du monde manifesté, y compris les autres personnes. Vous, Monsieur, ne dites pas tout cela, mais vous pensez tout cela, car vous êtes né dans ce pays et vous y avez été élevé, et bien que vous ayez vécu à l'étranger presque toute votre vie, vous faites partie de cette ancienne tradition. L'Inde vous a produit, que cela vous plaise ou non ; vous êtes le produit de l'Inde et vous avez un esprit indien. Vos gestes, votre immobilité semblable à celle d'une statue lorsque vous parlez, votre apparence même sont une part de cet ancien héritage. Votre enseignement est sans aucun doute ce que nos anciens ont enseigné depuis des temps immémoriaux. »

Écartons la question de savoir si celui qui parle est Indien, élevé dans cette tradition, conditionné par cette culture, et s'il est la somme de cet antique enseignement. Tout d'abord, il n'est pas Indien, en ce sens qu'il n'appartient ni à cette nation, ni à la communauté des Brahmins, bien qu'il y soit né. Il renie la tradition même dont vous l'investissez. Il nie que son enseignement soit la continuité des enseignements anciens. Il n'a lu aucun des livres sacrés de l'Inde ou de l'Occident car ils ne sont pas utiles à l'homme qui se rend compte de ce qui se passe dans le monde et du comportement des êtres humains. Ils répètent leurs théories, ils acceptent des propagandes qui durent depuis deux mille ou cinq mille ans, et qui sont devenues la tradition, la vérité, la révélation.

Pour celui qui rejette totalement et complètement l'acceptation du monde, les symboles et leurs conditionnements, la vérité n'est pas une affaire de seconde main. Si vous l'avez écouté, Monsieur, il a dit dès le début que toute acceptation d'une autorité est la négation même de la vérité et il a insisté sur la nécessité de se situer en dehors de toute culture, de toute tradition et de toute morale sociale. Si vous aviez écouté, vous ne diriez pas qu'il est Indien ou qu'il reprend en langage moderne une ancienne tradition. Il dénie totalement le passé, ses maîtres, ses interprètes, ses théories, ses formules.

La vérité n'est jamais dans le passé. Les vérités du passé sont les cendres de la mémoire. La mémoire appartient au temps. Dans les cendres mortes d'hier il n'y a pas de vérité. La vérité est une chose vivante, elle n'est pas dans la sphère du temps.

Ainsi, ayant mis tout cela de côté, nous pouvons maintenant aborder le point central concernant *Brahman*, tel que vous le postulez. Il est bien certain, Monsieur, que cette assertion est une théorie inventée par un esprit imaginatif — qu'il s'agisse de Shankara, ou d'un savant théologien moderne.

Vous pouvez vérifier une théorie par votre propre

expérience, mais à la façon de celui qui, élevé et conditionné dans le monde catholique, a des visions du Christ : il est évident que de telles visions du Christ sont des projections de son propre conditionnement. De même, ceux qui ont été élevés dans la tradition de Krishna ont des expériences et des visions engendrées par leur culture. L'expérience, donc, ne prouve absolument rien. Reconnaître qu'une vision est celle de Krishna ou du Christ est le fait d'une connaissance conditionnée. Cette vision n'est donc pas une réalité, mais un fantasme, un mythe renforcé par l'expérience et totalement fictif. Quel besoin avez-vous d'une quelconque théorie et pourquoi postulez-vous une croyance ? Cette constante assertion d'une croyance est l'indication d'une peur : peur de la vie quotidienne, peur de la douleur, peur de la mort et d'une vie dénuée totalement de sens. Voyant tout cela, vous inventez une théorie, et plus elle est habile et érudite, plus elle a de poids. Au bout de deux mille ou de dix mille années de propagande, cette théorie, invariablement et sottement, devient « la vérité ».

Mais si vous ne postulez aucun dogme, vous vous trouvez face à face avec la réalité de ce qui est. Alors « cela qui est » est la pensée, le plaisir, la douleur et la peur de la mort. Lorsque l'on comprend la structure de la vie quotidienne — avec ses compétitions, son avidité, ses ambitions, ses luttes pour le pouvoir — on voit, non seulement l'absurdité des théories, des sauveurs, des gourous, mais on peut trouver une fin à la douleur, une fin à toute la structure que la pensée a élaborée.

La méditation consiste à pénétrer dans cette structure et à la comprendre. On voit alors que le monde n'est pas une illusion, mais une réalité terrible que l'homme a construite dans ses rapports avec ses semblables. C'est cela qui doit être compris et non vos théories védantiques, avec leurs rituels et tout le bric-à-brac d'une religion organisée.

Lorsque l'homme est libre, sans motif de peur, d'envie ou de douleur, alors, et rien qu'alors, l'esprit devient naturellement paisible et tranquille. Alors, non seulement peut-il voir la vérité dans la vie quotidienne, d'instant en instant, mais il peut aussi aller au-delà de toute perception, là où l'observateur et l'observé prennent fin et où la dualité cesse.

Mais encore surpassant tout cela, et sans lien avec cette lutte, cette vanité, ce désespoir, il y a — et ce n'est pas une théorie — un flot de vie qui n'a ni commencement ni fin, un mouvement immesurable que l'esprit ne peut jamais capter.

Ayant entendu cela, Monsieur, vous allez naturellement en faire une théorie, et si cette nouvelle théorie vous plaît, vous la propagerez. Mais ce que l'on propage n'est pas la vérité. La vérité n'est là que lorsqu'on est affranchi de la douleur, de l'angoisse et de l'agressivité qui, en ce moment, remplissent votre cœur et votre esprit. Lorsque l'on voit tout cela et qu'on rencontre cette bénédiction qui s'appelle l'amour, on sait que ce qui vient d'être dit est vrai.

2

Ce qui est important, dans la méditation, c'est la qualité de l'esprit et du cœur. Ce n'est pas ce à quoi on est parvenu, ni ce que l'on dit avoir atteint, mais plutôt la qualité d'un esprit innocent et vulnérable. Au-delà de la négation, existe un état positif. Simplement accumuler des expériences — ou vivre dans un état d'expérience — c'est méconnaître la pureté de la méditation. La méditation n'est pas un moyen en vue d'une fin. C'est à la fois le moyen et la fin. L'esprit ne peut jamais être rendu innocent par l'expérience. C'est la négation de l'expérience qui engendre l'état positif d'innocence, état que la pensée ne peut pas cultiver. La pensée n'est jamais innocente. La méditation met fin à la pensée, mais non par l'action de celui qui médite, car celui qui médite n'est autre que la méditation. Ne pas méditer c'est être comme un aveugle dans un monde de grande beauté, de lumière, de couleur.

Déambulez donc au bord de la mer, et laissez cette qualité méditative venir à vous. Si elle vient, ne la poursuivez pas. Ce que l'on poursuit sera la mémoire de ce qui a été, et ce qui a été est la mort de ce qui est. Ou, si vous vagabondez parmi les collines, que tout vienne vous dire la beauté et la souffrance de la vie, afin que vous vous éveilliez à votre propre douleur, et à sa fin. La méditation est la racine, la plante, la fleur et le fruit. Ce sont les mots qui créent une séparation entre le fruit, la fleur, la plante et la racine. En cette séparation, l'action n'est pas bénéfique. La vertu est perception totale.

C'était une longue route ombragée, bordée d'arbres des deux côtés — une route étroite qui serpentait parmi les champs et la rutilence du blé mûrissant. Le soleil traçait des ombres nettes et les villages, de part et d'autre, étaient sales, mal tenus, marqués de misère. Les personnes les plus âgées paraissaient malades et tristes, mais les enfants criaient, jouaient dans la poussière et lançaient des pierres aux oiseaux perchés au sommet des arbres. C'était une matinée agréable et fraîche et une brise vivifiante soufflait du haut des collines.

Les perroquets et les mainates faisaient beaucoup de bruit, ce matin-là. Les perroquets étaient à peine visibles parmi les feuilles vertes des arbres; dans les tamaris plusieurs trous leur servaient d'habitations. Leur vol en zigzag était toujours strident et rauque. Les mainates étaient sur le sol, et assez peu farouches. Ils vous laissaient vous approcher avant de s'envoler. Et le gobe-mouches doré, l'oiseau vert et or, était sur les fils qui traversaient la route. C'était une belle matinée et le soleil n'était pas encore trop chaud. Il y avait une bénédiction dans l'air et la paix d'avant que les hommes ne s'éveillent.

Sur cette route, traîné par un cheval, passait un véhicule à deux roues, surmonté d'une plate-forme à quatre places et d'une capote. Sur la plate-forme, allongé en travers des roues, enveloppé d'une étoffe blanche et rouge, était un cadavre que l'on portait au fleuve, afin de le brûler sur la rive. Un homme était assis à côté du conducteur, probablement un parent, et le cadavre bringuebalait sur cette route pas trop plane. Ils étaient venus d'assez loin, car le cheval suait, et le corps avait été secoué tout le long du chemin et semblait complètement rigide.

L'homme qui est venu nous voir plus tard, ce jour-là, nous dit être un instructeur d'artillerie dans la marine. Il était venu avec sa femme et deux enfants et avait l'air d'être un homme très sérieux. Après les salutations d'usage, il dit qu'il aimerait trouver Dieu. Il ne s'exprimait pas très bien : peut-être était-il un peu timide. Ses mains et son visage étaient d'un homme assez dégourdi, mais il avait une certaine dureté dans la voix et dans le regard — car, après tout, il enseignait une façon de tuer. Dieu semblait si éloigné de ses activités quotidiennes ! Le tout semblait si insolite ! Car voilà un homme qui se disait sincèrement à la recherche de Dieu et pourtant son gagne-pain l'obligeait à enseigner l'art de tuer.

Il dit qu'il était de sentiments religieux et qu'il avait erré à travers de nombreuses écoles tenues par de soi-disant saints hommes, d'opinions différentes. Il n'avait été satisfait par aucune d'elles et il avait maintenant entrepris un long voyage par train et par autobus, pour nous voir car il voulait savoir comment atteindre ce monde étrange que tant d'hommes et tant de saints ont cherché. Sa femme et ses enfants étaient assis respectueusement en silence, et sur une branche tout près de la fenêtre, une tourterelle beige clair roucoulait doucement, toute seule. L'homme ne la regarda pas une seule fois et les enfants avec leur mère demeuraient assis, rigides, nerveux, sans jamais sourire.

On ne peut pas trouver Dieu ; il n'y a pas de chemin pour cela. L'homme a inventé de nombreuses religions, des croyances, des sauveurs et des guides dont il pense qu'ils l'aideront à trouver une félicité sans fin. La misère de la recherche est qu'elle conduit à des imaginations de l'esprit, à des visions que l'esprit projette et évalue au moyen de choses connues. L'amour qu'il cherche est détruit par sa façon de vivre. On ne peut pas avoir une arme dans une main et Dieu dans l'autre. Dieu n'est qu'un symbole, un mot qui a perdu son sens, car les églises et les lieux de dévotion l'ont détruit.

Bien sûr, celui qui ne croit pas en Dieu est comme celui qui croit : l'un et l'autre souffrent et passent par la douleur d'une vie brève et vaine, et l'amertume de chaque journée, fait de cette vie une chose qui n'a pas de sens. La réalité n'est pas au bout d'un courant de pensée, et un cœur vide est rempli par les mots de la pensée. Nous devenons très habiles, nous inventons des philosophies, et puis vient l'amertume de leur faillite. Nous avons inventé des théories sur la façon d'atteindre l'Ultime et le dévot va au temple et se perd dans les imaginations de son esprit. Le moine et le saint ne voient pas que pour l'un et l'autre la réalité fait partie d'une tradition, d'une culture qui les accepte dans la catégorie des saints et des moines.

La tourterelle s'est envolée et la beauté de la montagne de nuages recouvre les champs et la vérité est là où on ne regarde jamais.

3

C'était un vieux jardin mongol avec beaucoup de grands arbres. Il y avait de grands monuments, obscurs à l'intérieur, avec des sépulcres de marbre et la pluie et les saisons avaient rendu sombre la pierre et plus sombres encore les coupoles. Il y avait, au haut des coupoles, des centaines de pigeons. Ils se battaient avec les corbeaux pour des places, et plus bas sur les coupoles, étaient les perroquets venant en groupes de partout. Il y avait des pelouses bien tenues, tondues et arrosées. C'était un lieu tranquille, où, curieusement, ne se trouvaient que peu de personnes. Le soir, les domestiques du voisinage, avec leurs vélos, se réunissaient sur une pelouse pour jouer aux cartes. C'était un jeu qu'ils comprenaient, mais qui n'avait ni queue ni tête pour l'étranger qui l'observait. Il y avait des groupes d'enfants qui jouaient sur une pelouse attenant à un autre tombeau.

Un des tombeaux était particulièrement somptueux, avec de grandes arcades bien proportionnées et, derrière, un mur dissymétrique. Il était fait de briques et le soleil et la pluie l'avaient rendu foncé, presque noir. Un écriteau interdisait de cueillir les fleurs, mais personne n'y faisait attention, car on les cueillait quand même.

Il y avait une avenue d'eucalyptus, et derrière elle, une roseraie entourée de murs croulants. Ce jardin, avec ses roses magnifiques, était parfaitement tenu et l'herbe était toujours verte et fraîchement tondue. Peu de personnes semblaient venir dans ce jardin et on pouvait en faire le tour en solitude et contempler le coucher de soleil derrière les arbres et derrière les coupoles des tombeaux. Là, le soir surtout, avec ses longues ombres obscures, était très paisible, loin du bruit de la ville, loin de la pauvreté et de la laideur des riches. Des bohémiens déracinaient les mauvaises herbes de la pelouse. C'était, dans l'ensemble, un bon endroit, mais l'homme l'abîmait graduellement.

Il y avait un homme assis, les jambes croisées, dans un coin reculé de la pelouse, son vélo à côté de lui. Il avait fermé les yeux et ses lèvres remuaient. Il demeura plus d'une demi-heure en cette posture, complètement perdu au monde, aux passants, et aux cris aigus des perroquets. Son corps était tout à fait immobile. En ses mains était un chapelet recouvert d'une pièce d'étoffe. Ses doigts étaient le seul mouvement que l'on pouvait voir, à part ses lèvres. Il venait là quotidiennement vers le soir, et cela devait être après sa journée de travail. C'était un homme plutôt pauvre, assez bien nourri, et il venait toujours dans ce coin et s'y perdait en lui-même. Si vous l'aviez questionné, il vous aurait répondu qu'il méditait, répétant quelque prière ou quelque *mantra* — et pour lui, c'était assez bon. Il y trouvait un soulagement à la quotidienne monotonie de la vie. Il était seul sur cette pelouse. Derrière lui était un jasmin en pleine floraison, de nombreuses fleurs étaient par terre et la beauté du moment s'étendait autour de lui. Mais il ne voyait jamais cette beauté, car il était perdu dans une beauté de sa propre fabrication.

La méditation n'est pas la répétition du mot, ni l'expérience d'une vision, ni la mise en œuvre du silence. Le grain du chapelet et le mot peuvent bien faire taire l'esprit bavard, mais cela n'est qu'une forme d'auto-hypnose. Vous pouvez aussi bien avaler une pilule.

La méditation ne consiste pas à s'envelopper dans un tissu de pensées, dans l'enchantement du plaisir. La méditation n'a pas de commencement, elle n'a donc pas de fin.

Si vous dites : « Je commencerai aujourd'hui à contrôler mes pensées, à m'asseoir tranquillement dans une posture méditative, à respirer avec régularité », c'est que vous êtes pris par les artifices avec lesquels on se trompe soi-même. La méditation n'est pas le fait d'être absorbé dans une idée ou une image grandioses : cela ne calmerait qu'un moment, à la façon dont un enfant est calme pendant le temps où un jouet l'absorbe. Mais dès que le jouet cesse d'être intéressant, l'agitation et les sottises recommencent. La méditation n'est pas la poursuite d'une voie invisible conduisant à quelque félicité imaginaire. L'esprit méditatif voit, observe, écoute sans le mot, sans commentaires, sans opinion, attentif au mouvement de la vie dans tous ses rapports, tout au long de la journée. Et la nuit, lorsque l'organisme est au repos, l'esprit méditatif n'a pas de rêves, car il a été éveillé tout le jour. Ce n'est que l'indolent qui a des rêves, ce ne sont que les personnes partiellement endormies qui ont besoin d'émissions émanant de leurs propres états de conscience. Mais lorsqu'un esprit vigilant écoute le mouvement extérieur et intérieur de la vie, un silence lui vient, que n'élabore pas la pensée.

Ce n'est pas un silence que l'observateur puisse percevoir en tant qu'expérience. S'il le vit comme expérience, et la reconnaît, ce n'est plus un silence. Le silence de l'esprit méditatif n'est pas inclus dans les limites de la récognition, car il n'a pas de frontières. Il n'y a que ce silence — dans lequel l'espace de la division n'existe plus.

Les collines étaient portées par les nuages et la pluie polissait les rochers, de grands blocs éparpillés sur les collines. Il y avait une traînée de noir dans le granite gris, et ce matin-là, ce rocher de basalte sombre était lavé par la pluie et devenait plus noir.

Les étangs se remplissaient et les grenouilles faisaient, à pleine gorge, des bruits profonds. Tout un groupe de perroquets arrivait des champs pour s'abriter et les singes étaient en train de grimper sur les arbres, et la terre rouge devint plus sombre.

Il y a un silence particulier lorsqu'il pleut, et ce matin-là, dans la vallée, tous les bruits semblaient avoir cessé : les bruits de la ferme, du tracteur et de la hache taillant le bois. Il n'y avait que le bruit des gouttes tombant du toit, et le gargouillement des gouttières.

C'était vraiment extraordinaire de sentir la pluie sur soi, d'être mouillé jusqu'à la peau et de sentir la terre et les arbres recevoir la pluie avec joie; car il n'avait pas plu depuis quelque temps, et maintenant les petites craquelures de la terre étaient en train de se refermer. La pluie avait fait taire le bruit des nombreux oiseaux, les nuages arrivaient de l'est, sombres, lourdement chargés, et étaient attirés vers l'ouest; les collines se trouvaient portées par eux, et l'odeur de la terre se répandait en chaque coin. Il plut toute la journée.

Et dans le silence de la nuit les hiboux hululaient de l'un à l'autre, à travers la vallée.

C'était un maître d'école, un Brahmin. Il était pieds nus et portait un *dhoti* propre et une chemise occidentale. Il était soigné, avait un regard aigu, un comportement apparemment doux et sa façon de saluer témoignait de son humilité. Il n'était pas trop grand de taille, et parlait fort bien l'anglais, car il était professeur d'anglais, en ville. Il dit qu'il ne gagnait pas beaucoup et que, comme tous les enseignants à travers le monde, il trouvait très difficile de joindre les deux bouts. Bien sûr, il était marié et avait des enfants, mais il avait l'air de mettre tout cela de côté, comme si cela n'avait aucune importance. C'était un homme fier, de cette fierté particulière qui n'est pas celle de la réussite, qui n'est pas la fierté des bien-nés ou des riches, mais la fierté d'une race ancienne, d'un représentant d'une antique tradition et d'un système de pensée et de morale, qui, en vérité, n'avait rien à voir avec ce qu'il était réellement. Sa fierté était dans le passé qu'il représentait, et sa façon de rejeter les complications actuelles de la vie était le geste d'un homme qui les considère « inévitables-mais-si-peunécessaires ». Il avait l'accent du Sud, dur et sonore. Il dit que pendant de nombreuses années, il avait assisté à des conférences, ici, sous les arbres. A vrai dire, son père l'avait conduit ici, alors que, jeune homme, il fréquentait encore le collège. Ensuite, après avoir obtenu sa misérable situation, il était venu chaque année.

« Je vous ai écouté de nombreuses années. Je comprends peut-être intellectuellement ce que vous dites, mais cela ne semble pas me pénétrer très profondément. J'aime la façon dont sont disposés les arbres sous lesquels vous parlez, et je regarde le coucher de soleil lorsque vous le faites observer — ainsi que cela vous arrive si souvent dans vos causeries — mais je ne peux pas le *sentir*, je ne peux pas toucher la feuille et éprouver la joie des ombres dansantes sur le sol. En fait, je n'ai absolument aucune sensibilité. J'ai, naturellement, beaucoup lu la littérature anglaise et celle de ce pays. Je peux réciter des poèmes, mais la beauté qui réside au-delà des mots m'échappe. Je me durcis, non seulement dans mes rapports avec ma femme et mes enfants, mais avec tout le monde. A l'école je crie davantage. Je me demande pourquoi j'ai perdu la délectation du soleil du soir... si je l'ai jamais eue! Je me demande pourquoi je ne ressens plus fortement le mal qui sévit dans le monde. Il me semble que je vois tout intellectuellement et que je peux fort bien raisonner — du moins je crois que je le peux — avec à peu près n'importe qui. Pourquoi donc y a-t-il cette brèche entre l'intellect et le cœur? Pourquoi ai-je perdu l'amour et le sens de la pitié et de la vraie charité? »

Regardez par la fenêtre, ce bougainvillier. Le voyez-vous pleinement? Voyez-vous la lumière sur lui, sa transparence, la couleur, la forme, la qualité qu'il a?

« Je le regarde, mais il ne signifie absolument rien pour moi. Et il y a des millions de personnes comme moi. Je reviens donc à ma question : Pourquoi y a-t-il cette brèche entre l'intellect et les sentiments? »

Est-ce à cause d'une éducation erronée, qui n'a cultivé que votre mémoire, et qui, depuis votre première enfance, ne vous a pas appris à regarder un arbre, une fleur, un oiseau, une étendue d'eau? Est-ce parce que nous avons mécanisé la vie? Est-ce à cause de cet excès de population? Pour chaque emploi, il y a des milliers de personnes qui se présentent. Ou est-ce par orgueil, orgueil de l'efficience, orgueil de la race, orgueil d'une pensée artificieuse? Pensez-vous que ce soit cela?

« Me demandez-vous si je suis orgueilleux? Oui, je le suis. »

Mais ce n'est qu'une des raisons pour lesquelles le soi-disant intellect domine. Est-ce parce que les mots sont devenus si extraordinairement plus importants que ce qui est au-dessus et au-delà du mot? Ou est-ce parce que vous êtes frustré, bloqué de différentes façons dont vous n'êtes peut-être pas du tout conscient? Dans le monde moderne, l'intellect est un objet de culte et plus on est habile et retors, plus on avance.

« Peut-être sont-ce toutes ces raisons à la fois, mais sont-elles bien importantes? Bien sûr, nous pourrions indéfiniment analyser, décrire la cause, mais est-ce que cela remplira le fossé entre l'esprit et le cœur? C'est cela que je veux savoir. J'ai lu quelques-uns des livres de psychologie et notre propre littérature ancienne, mais cela ne m'enflamme pas et maintenant je suis venu à vous, bien que cela soit peut-être trop tard pour moi. »

Est-ce que vous désirez réellement l'union de l'esprit et du cœur? Vos capacités intellectuelles ne vous suffisent-elles vraiment pas? Vouloir unir l'esprit et le cœur n'est peut-être qu'un problème académique. Pourquoi vous souciez-vous de les assembler? Cette préoccupation appartient encore à l'intellect et ne surgit pas, n'est-ce pas, d'une inquiétude au sujet du dépérissement de votre affectivité, lequel fait partie de vous-même? Vous avez divisé la vie en intellect et cœur, intellectuellement, vous observez le cœur en train de se dessécher, et cela vous préoccupe verbalement. Laissez-le se dessécher! Vivez uniquement par l'intellect. Est-ce possible?

« Mais *j'ai* des sentiments ! »

Mais ces sentiments ne sont-ils pas réellement une sentimentalité, une complaisance émotionnelle envers vous-même ? Ce n'est pas de cela que nous parlons, évidemment. Nous disons : *soyez* mort à l'amour, cela n'a pas d'importance. Vivez uniquement dans votre intellect et dans vos manipulations verbales, vos arguments astucieux. Et lorsqu'en toute réalité on vit de la sorte, que se produit-il ? Ce contre quoi vous vous élevez c'est l'effet destructeur de cet intellect que vous vénérez tellement. Cette action destructive suscite une multitude de problèmes. Vous voyez probablement l'effet des activités intellectuelles dans le monde — les guerres, la compétition, l'arrogance du pouvoir — et peut-être êtes-vous effrayé par ce qui va se passer, effrayé de l'impuissance et du désespoir de l'homme. Tant qu'existe cette division entre l'affectivité et l'intellect, l'un dominant l'autre, l'un doit détruire l'autre ; il n'y a pas moyen de les réunir. Vous avez pu écouter ces causeries au cours de nombreuses années, et peut-être avez-vous fait de grands efforts pour amener l'esprit et le cœur à s'unir, mais cet effort est exercé par la pensée, laquelle, ainsi, domine le cœur. L'amour n'appartient à aucun des deux, car il n'y a, en lui, aucune qualité de domination. Ce n'est pas une chose assemblée par la pensée ou par le sentiment. Ce n'est ni un mot émanant de l'intellect, ni une réaction sensorielle. Vous dites :

« Il faut que j'aie de l'amour, et pour l'avoir, je dois cultiver le cœur. » Mais ce développement méthodique est mental, et ainsi, vous maintenez toujours les deux séparés ; on ne peut ni jeter un pont entre les deux, ni les unir dans un but utilitaire. L'amour est au commencement, non à la fin d'une entreprise.

« Alors que dois-je faire ? »

Maintenant ses yeux étaient devenus plus brillants, et il y avait un mouvement en son corps. Il regarda par la fenêtre, et, tout doucement, il commença à s'enflammer.

Vous n'y pouvez rien. Restez en dehors ! Et écoutez ; et voyez la beauté de cette fleur.

4

La méditation est le déploiement du neuf. Le neuf
est au-delà et au-dessus du passé répétitif — et la
méditation met une fin à cette répétition. La mort que
provoque la méditation est l'immortalité du neuf. Le
neuf n'est pas dans le champ de la pensée, et la méditation est le silence de la pensée.

La méditation n'est pas un accomplissement, ce
n'est pas non plus la capture d'une vision ou l'ardeur
d'une sensation. C'est comme un fleuve qu'on ne peut
apprivoiser, rapide et débordant ses rives. C'est la
musique qui n'a pas de sons; on ne peut pas la
domestiquer et s'en servir. C'est le silence en lequel
l'observateur n'est plus là dès le début.

Le soleil n'était pas encore levé et l'on pouvait voir
l'étoile du matin à travers les arbres. Il y avait un
silence qui était vraiment extraordinaire : pas le
silence entre deux bruits ou entre deux notes, mais le
silence qui n'est dû absolument à rien — le silence qui
devait avoir été au commencement du monde. Il remplissait toute la vallée et les collines.

Les deux grands hiboux qui s'appelaient l'un
l'autre, ne dérangeaient à aucun moment ce silence,
et, au loin, le chien qui aboyait à la lune faisait partie
de cette immensité. La rosée était particulièrement
lourde, et comme le soleil montait au-dessus de la
colline, elle scintillait de nombreuses couleurs et de
l'éclat qui vient avec les premiers rayons du soleil.

Les feuilles délicates du jacaranda étaient lourdes de rosée et des oiseaux venaient y prendre leur bain matinal, battant des ailes, de sorte que la rosée sur ces feuilles délicates remplissait leurs plumes. Les corneilles étaient particulièrement insistantes ; elles sautaient d'une branche à l'autre, avançant leurs têtes à travers les feuilles, agitant leurs ailes et nettoyant leurs plumes. Il y en avait à peu près une demi-douzaine sur cette lourde branche, et il y avait beaucoup d'autres oiseaux éparpillés partout sur l'arbre, en train de prendre leur bain du matin.

Et ce silence se répandit et sembla aller au-delà des collines. Il y avait les bruits habituels d'enfants qui criaient, et des rires ; et la ferme commença à s'éveiller.

La journée serait fraîche, et maintenant les collines avaient sur elles la lumière du soleil. C'étaient de très vieilles collines — probablement les plus vieilles au monde — avec des rochers de formes curieuses qui semblaient avoir été sculptés avec grand soin, en équilibre les uns sur les autres ; mais aucun vent ni aucune manipulation ne pouvaient leur faire perdre cet équilibre.

C'était une vallée très éloignée des villes, et la route qui la traversait conduisait à un autre village. La route était raboteuse et il n'y avait ni voitures ni autobus pour déranger l'ancienne quiétude de cette vallée. Il y avait des chars à bœufs, mais leurs mouvements faisaient partie des collines. Il y avait un lit de rivière à sec, qui ne se remplissait d'un courant d'eau qu'après de lourdes pluies ; sa couleur était un mélange de rouge, de jaune et de brun ; et cela aussi semblait bouger avec les collines. Et les villageois qui marchaient silencieusement étaient comme les rochers.

La journée s'étira et vers la fin de la soirée, alors que le soleil se couchait au-dessus des collines occidentales, le silence s'introduisit venant du lointain, par delà les collines, à travers les arbres, recouvrant les petits buissons et l'antique banyan. Et comme les étoiles devinrent brillantes, ainsi le silence grandit en intensité ; on pouvait à peine le supporter.

Les petites lampes du village s'éteignirent, et avec le sommeil l'intensité de ce silence devint plus profonde, plus vaste et incroyablement écrasante. Même les collines devinrent plus silencieuses, car elles aussi avaient mis fin à leurs murmures, à leur mouvement, et avaient l'air de perdre leur poids immense.

Elle dit qu'elle avait quarante-cinq ans; elle était soigneusement vêtue d'un sari, avec quelques bracelets porte-bonheur à ses poignets. L'homme, plus âgé, qui l'accompagnait, dit qu'il était son oncle. Nous nous assîmes sur le plancher d'où l'on voyait un grand jardin avec son banyan, quelques manguiers, un bougainvillier brillant et des pousses de palmiers. Elle était terriblement triste. Ses mains étaient agitées et elle essayait de s'empêcher d'éclater en paroles et peut-être en larmes. L'oncle dit : « Nous sommes venus vous parler de ma nièce. Son mari est mort il y a quelques années, et ensuite son fils, et maintenant elle ne peut pas s'arrêter de pleurer et elle a terriblement vieilli. Nous ne savons pas quoi faire. Les conseils habituels des médecins n'ont pas l'air d'avoir de l'effet, et elle semble perdre le contact avec ses autres enfants. Elle maigrit. Nous ne savons pas comment tout cela finira et elle a insisté pour que nous venions vous voir. »

« J'ai perdu mon mari il y a quatre ans. C'était un médecin et il avait un cancer. Il avait dû me le cacher, et ce n'est que la dernière année, à peu près, que je l'ai su. Il souffrait atrocement, malgré la morphine et d'autres calmants que lui donnaient les médecins. Devant mes yeux il dépérit, puis il ne fut plus là. »

Elle s'arrêta, presque étouffée de larmes. Une tourterelle, assise sur une branche, roucoulait doucement. Elle était brun gris avec une petite tête et un grand corps — pas trop grand, car c'était une tourterelle. Elle s'envola et la branche se balança de haut en bas, par la pression de son envol.

« D'une façon ou d'une autre, je ne peux pas supporter cette solitude, cette existence qui n'a pas de signification sans lui. J'aimais mes enfants : un garçon et deux filles. Un jour, l'année dernière, le garçon m'écrivit de l'école qu'il ne se sentait pas bien, et quelques jours plus tard je reçus un appel téléphonique du proviseur me disant qu'il était mort. »

Ici, elle commença à sangloter sans pouvoir se maîtriser. Elle montra ensuite une lettre du garçon, où il disait vouloir rentrer chez eux, car il ne se sentait pas bien, et qu'il l'espérait, elle, en bonne santé. Elle expliqua qu'il n'avait pas voulu aller à l'école, mais aurait voulu rester auprès d'elle, car il s'était beaucoup inquiété à son sujet. Et elle l'avait plus ou moins forcé à y aller, craignant de l'affecter par son chagrin. Maintenant, il était trop tard. Les deux filles, dit-elle, n'étaient pas pleinement conscientes de tout ce qui était arrivé, car elles étaient très jeunes. Soudain, elle éclata : « Je ne sais pas quoi faire. Cette mort a secoué les fondements mêmes de ma vie. Tel une maison notre mariage avait été soigneusement construit sur ce que nous considérions comme une base profonde. Maintenant tout est détruit par cet énorme événement. »

L'oncle devait être un croyant, un traditionaliste, car il ajouta : « Dieu lui a envoyé cela. Elle s'est conformée à tous les rites nécessaires, mais ils ne l'ont pas aidée. Je crois à la réincarnation, mais elle n'en retire aucun réconfort. Elle ne veut même pas en parler. Pour elle, rien de tout cela n'a aucun sens, et nous n'avons été capables de lui donner aucune consolation. »

Nous restâmes assis quelque temps en silence. Son mouchoir était maintenant tout mouillé; un mouchoir propre, sorti du tiroir, l'aida à essuyer les larmes de ses joues. Le bougainvillier rouge jetait par la fenêtre un regard furtif, et la brillante lumière méridionale était sur chaque feuille.

Voulez-vous en parler sérieusement — aller à la racine de tout cela ? Ou voulez-vous être réconfortée par quelque explication, par quelque argumentation raisonnée, et obtenir une diversion à votre douleur au moyen de quelques mots capables de vous satisfaire ?

Elle répondit : « Je voudrais y pénétrer profondément, mais je ne sais pas si j'ai la capacité ou l'énergie d'affronter ce que vous allez dire. Lorsque mon mari était vivant, nous venions à quelques-unes de vos causeries, mais maintenant je pourrais avoir beaucoup de difficultés à vous suivre. »

Pourquoi êtes-vous dans cet état de douleur? Ne donnez aucune explication, car elle ne serait qu'une construction verbale de ce que vous éprouvez, et non le fait réel. Donc, lorsque nous posons une question, je vous prie de ne pas y répondre. Écoutez simplement, et cherchez la réponse en vous-même. Pourquoi cette douleur autour de la mort existe-t-elle dans chaque maison, riche ou pauvre, chez les plus puissants du pays jusqu'au mendiant? Pourquoi êtes-vous dans l'affliction? Est-ce pour votre mari — ou est-ce pour vous-même? Si c'est pour lui que vous pleurez, vos larmes peuvent-elles l'aider? Il est parti irrévocablement. Quoi que vous fassiez, il ne vous reviendra jamais. Aucuns pleurs, aucune croyance, aucuns rituels, aucuns dieux ne pourront le ramener. C'est un fait, et vous devez l'accepter; vous n'y pouvez rien. Mais si vous pleurez pour vous-même à cause de votre solitude, du vide de votre vie, des plaisirs sensuels que vous aviez ou des liens que constitue le couple, alors, n'est-ce pas votre propre vide que vous pleurez, n'est-ce pas vous-même que vous prenez en pitié? Peut-être est-ce la première fois que vous êtes consciente de votre pauvreté intérieure. Vous avez misé sur votre mari, n'est-ce pas, s'il nous est permis de vous le faire remarquer avec douceur, et cela vous a procuré un réconfort, de la satisfaction et du plaisir? Tout ce que vous éprouvez maintenant — le sentiment d'une perte, la douleur de la solitude et de l'angoisse — est une façon de vous prendre vous-même en pitié, n'est-ce pas? Voyez cela, voyez-le. N'endurcissez pas votre cœur en disant : « J'aime mon mari, et je ne pensais pas du tout à moi. Je voulais le protéger. Il est vrai que j'ai souvent essayé de le dominer; mais c'était toujours pour son bien et je n'ai jamais eu une pensée pour moi. » Maintenant qu'il est parti, vous vous rendez compte, n'est-ce pas, de l'état réel où vous vous trouvez? Sa mort vous a secouée et vous a montré l'état réel de votre esprit et de votre cœur. Vous avez peut-être une réticence à le voir, peut-être le niez-vous par crainte, mais si vous l'observez un peu mieux, vous verrez que c'est sur votre solitude que vous pleurez, sur votre pauvreté intérieure, c'est-à-dire par pitié pour vous-même.

« N'êtes-vous pas plutôt cruel, Monsieur? Je suis venue chercher une vraie consolation, et que me donnez-vous? »

C'est une des illusions qu'ont la plupart des gens : l'illusion qu'existe ce qu'on appelle une consolation, que quelqu'un puisse la donner ou qu'on puisse la trouver soi-même. Je crains qu'une telle chose n'existe pas. Si vous cherchez un réconfort, vous vivez nécessairement dans une illusion, et lorsque cette illusion est détruite vous êtes triste parce que la consolation vous est retirée. Donc, pour comprendre le chagrin et pour le dépasser, on doit voir en toute réalité ce qui a lieu intérieurement, et non se le cacher. Vous montrer tout cela n'est pas de la cruauté, n'est-ce pas? Ce que l'on découvre n'est pas une laideur qui vous repousse. Lorsqu'on voit tout cela, très clairement, on en sort immédiatement, sans une égratignure, sans une flétrissure, frais, non atteint par les événements de la vie. La mort est inévitable pour nous tous; on ne peut pas y échapper. On essaye de trouver toutes sortes d'explications, de s'accrocher à toutes sortes de croyances dans l'espoir de la dépasser, mais quoi que l'on fasse, elle est toujours là; demain, ou au coin de la rue, ou dans beaucoup d'années — elle est toujours là. Il est nécessaire de prendre contact avec cet immense fait de la vie.

« Mais... » dit l'oncle, et ce fut le déballage de la croyance traditionnelle en Atman, à l'âme, à une entité permanente qui se perpétue. Il était maintenant sur son propre terrain, bien aplani par des arguments habiles et des citations. On le vit se redresser soudain et le feu du combat, du combat des mots, fut en ses yeux. La sympathie, l'amour et la compréhension avaient disparu. Il était sur son terrain sacré des croyances, de la tradition, bien nivelé par le lourd poids du conditionnement : « Mais l'Atman est en chacun de nous ! Il renaît et se prolonge jusqu'à ce qu'il réalise qu'il est Brahman. Il nous faut passer par la douleur pour parvenir à cette réalité. Nous vivons dans l'illusion; le monde est une illusion. Il n'y a qu'une seule réalité. »

Et il était lancé ! Elle me regarda, ne faisant pas grande attention à lui, et un léger sourire commença à apparaître sur son visage; et, tous deux, nous regardâmes la tourterelle qui était revenue et l'éclatant bougainvillier rouge.

Il n'y a rien de permanent sur la terre ni en nous-mêmes. La pensée peut donner une continuité à ce à quoi elle pense, elle peut conférer une permanence à un mot, à une idée, à une tradition. La pensée se pense permanente, mais l'est-elle ? La pensée est une réaction de la mémoire, et cette mémoire est-elle permanente ? Elle peut construire une image et lui donner une continuité, une pérennité, l'appelant Atman ou autrement, et elle peut se souvenir du visage du mari ou de la femme et s'y accrocher. Tout cela est une activité de la pensée qui engendre la peur, et cette peur incite à la recherche du durable — la peur de n'avoir pas un repas demain, ou un abri — la peur de la mort. Cette peur est le résultat de la pensée, et Brahman aussi est le produit de la pensée.

L'oncle dit : « La mémoire et la pensée sont comme une bougie. On l'éteint et on la rallume; on oublie et on se ressouvient plus tard. On meurt et on renaît dans une autre existence. La flamme de la bougie est la même, et n'est pas la même. Ainsi, dans la flamme il y a une certaine qualité de continuité. »

Mais la flamme qui a été éteinte n'est pas la même flamme que la neuve. Il y a une fin à ce qui est vieux pour que le neuf soit. Dans une perpétuelle continuité modifiée il n'y a jamais rien de nouveau. Les mille hiers ne peuvent pas être remis à neuf; même une bougie se consume. Tout doit parvenir à une fin pour que le neuf soit.

L'oncle, maintenant, ne peut plus s'appuyer sur des

citations ou des croyances ou sur les paroles d'autrui ; il se retire en lui-même et devient très silencieux, intrigué et assez en colère, car il a été exposé à lui-même, et, tout comme sa nièce, il ne veut pas affronter la réalité.

« Rien de tout cela ne me concerne, dit-elle, je suis profondément malheureuse : j'ai perdu mon mari et mon fils, et il y a ces deux enfants qui sont restés. Que dois-je faire ? »

Si ce sont vos enfants qui vous préoccupent vous ne pouvez pas être absorbée par votre personne et par votre infortune. Il vous faut les soigner, les élever convenablement, les faire sortir de la médiocrité habituelle. Mais si vous êtes consumée par la pitié que vous déversez sur vous-même, que vous appelez « l'amour pour votre mari », et si vous vous retirez dans l'isolement, alors vous détruisez aussi les deux autres enfants. Consciemment ou inconsciemment, nous sommes tous totalement égoïstes, et tant que nous obtenons ce que nous désirons, nous pensons que tout va bien. Mais dès que survient un événement qui met tout en pièces, nous crions notre désespoir, espérant trouver d'autres consolations qui, naturellement, seront mises en pièces à leur tour. Ainsi ce processus continue et si vous désirez y sombrer, connaissant fort bien toutes ses implications, allez-y. Mais si vous voyez l'absurdité de tout cela, vous cesserez tout naturellement de pleurer, vous cesserez de vous isoler et vous vivrez avec vos enfants, dans une nouvelle lumière et avec un sourire sur votre visage.

5

Les silences sont de natures différentes. Il y a le silence entre deux bruits, le silence entre deux notes, et le silence qui s'élargit dans l'intervalle entre deux pensées. Il y a ce silence particulier, tranquille, pénétrant, qui vient par certains soirs dans la campagne; il y a le silence à travers lequel on entend l'aboiement d'un chien au loin, ou le sifflet d'un train alors qu'il gravit une pente raide, le silence dans une maison où tout le monde est allé dormir, et sa curieuse amplification lorsqu'on se réveille au milieu de la nuit et qu'on écoute un hibou qui hulule dans la vallée; et il y a le silence avant que ne réponde sa compagne. Il y a le silence d'une vieille maison désertée, et le silence d'une montagne; le silence entre deux êtres humains, lorsqu'ils ont vu la même chose, senti de la même façon et agi.

Cette nuit-là, surtout dans cette lointaine vallée avec ses collines, les plus anciennes de toutes, et leurs brisants si curieusement façonnés, le silence était aussi réel que le mur que vous touchiez. Et, par la fenêtre, vous regardiez les brillantes étoiles. Ce n'était pas un silence auto-engendré; ce n'était pas que la terre fût silencieuse et les paysans endormis, mais il venait de partout — des lointaines étoiles, de ces collines obscures, de votre esprit et de votre cœur. Ce silence semblait tout recouvrir, depuis le plus minuscule grain de sable dans le lit de la rivière — laquelle ne connaissait un courant d'eau que lorsqu'il pleuvait — jusqu'au grand banyan qui s'étalait et à une brise légère qui, maintenant, se levait. Il y a le silence d'une conscience qui n'est jamais atteinte par aucun bruit, par aucune pensée, ni par le passage du vent de l'expérience. C'est ce silence-là qui est innocent, donc sans fin. Lorsqu'existe ce silence de la conscience, l'action en surgit, et cette action n'engendre ni confusion ni douleur.

La méditation d'un esprit totalement silencieux est la bénédiction que l'homme ne cesse de rechercher. En ce silence sont toutes les différentes natures du silence.

Il y a l'étrange silence qui existe dans un temple ou dans une église vide, profondément à l'abri dans une campagne, loin du bruit des touristes et des dévots; et le silence lourd qui s'étend sur l'eau et fait partie de ce qui est au-dehors du silence de la conscience.

L'esprit méditatif contient tous ces aspects, ces variations et ces mouvements du silence. Ce silence de la conscience est le véritable esprit religieux, et le silence des dieux est le silence de la terre. L'esprit méditatif suit son cours dans ce silence, et l'amour est sa manière d'être. En ce silence, il y a la félicité et le rire.

L'oncle vint encore, cette fois sans la nièce qui avait perdu son mari. Il était habillé avec un peu plus de soin, et était plus troublé et préoccupé; son visage était devenu plus foncé à cause de son sérieux et de son anxiété. Le sol sur lequel nous étions assis était dur, et le bougainvillier rouge était là, qui nous regardait par la fenêtre. Et la tourterelle viendrait probablement un peu plus tard. Elle venait toujours à peu près à cette heure-là du matin. Elle perchait toujours sur cette branche, à la même place, le dos à la fenêtre, sa tête pointant vers le sud, et le roucoulement viendrait avec douceur à travers la fenêtre.

« Je voudrais parler de l'immortalité et du perfectionnement de la vie au fur et à mesure qu'elle évolue vers la réalité ultime. A en juger par ce que vous avez dit l'autre jour, vous avez une perception directe de ce qui est vrai, et nous, ne sachant pas, ne pouvons que croire. Nous ne savons vraiment rien au sujet de l'Atman; seul le mot nous est familier. Le symbole, pour nous, est devenu le réel, et si l'on décrit le symbole — ce que vous avez fait l'autre jour — nous prenons peur. Mais en dépit de cette peur, nous nous y accrochons, parce qu'en fait nous ne savons rien du tout, sauf ce qui nous est enseigné, ce que des maîtres précédents ont dit, et le poids de la tradition est toujours sur nous. Donc, tout d'abord, je voudrais savoir par moi-même si cette Réalité qui est permanente existe, cette Réalité — appelez-la comme vous voudrez : Atman ou âme — qui continue après la mort. Je n'ai pas peur de la mort. J'ai affronté la mort de ma femme et de plusieurs de mes enfants, mais ce qui m'intéresse est cet Atman en tant que réalité. Cette entité permanente est-elle en moi? »

Lorsque nous parlons de permanence, nous entendons, n'est-ce pas, quelque chose qui continue en dépit des perpétuels changements qui l'entourent, en dépit des expériences, en dépit de toutes les angoisses, des chagrins, des brutalités? Quelque chose d'impérissable? Tout d'abord, comment pouvons-nous le savoir? Peut-on chercher par la pensée, avec des mots? Peut-on trouver ce qui est permanent au moyen de ce qui ne l'est pas? Peut-on trouver ce qui ne change pas par ce qui change constamment : la pensée? La pensée peut donner une permanence à une idée, Atman ou âme, et dire « c'est cela le réel », elle nous fait redouter ce qui change sans cesse, et poussée par cette peur, elle s'en va à la recherche de quelque chose de durable : de rapports durables entre êtres humains, d'une permanence en amour.

La pensée elle-même *est* fluctuante, elle *est* changeante, donc tout ce qu'elle invente comme étant permanent est comme elle non permanent. Elle peut s'accrocher à un souvenir tout au long d'une vie, dire que cette mémoire est permanente, et vouloir ensuite savoir si elle se prolongera après la mort. La pensée a créé cette chose, lui a donné une continuité, l'a nourrie jour après jour et s'est accrochée à elle. C'est la plus grande des illusions, car la pensée vit dans le déroulement du temps et, ce qu'elle a vécu hier, elle s'en souvient à travers aujourd'hui et demain; c'est de là que naît le temps. Il y a donc une permanence du temps et la permanence que la pensée a conférée à l'idée d'atteindre une vérité ultime. Tout cela est le produit de la pensée — la peur, le temps, et l'accomplissement : le perpétuel devenir.

« Mais qui est le penseur — ce penseur qui a toutes ces pensées ? »

Existe-t-il vraiment, ce penseur, ou n'y a-t-il qu'une pensée qui construit l'assemblage du penseur ? Et l'ayant établi, elle invente le permanent, l'âme, l'Atman.

« Êtes-vous en train de me dire que je cesse d'exister lorsque je ne pense pas ? »

Ne vous est-il jamais arrivé de vous trouver tout naturellement dans un état où la pensée est totalement absente ? Dans cet état, êtes-vous conscient de vous-même en tant que penseur, qu'observateur, en tant que vivant une expérience ? La pensée est une réaction de la mémoire, et l'amas de mémoires est le penseur. Lorsqu'il n'y a pas de pensée, y a-t-il en aucune façon ce « moi », à propos duquel nous faisons tant d'embarras et tant de bruit ? Nous ne parlons pas des amnésiques, ni de ceux qui rêvent éveillés ou qui dominent leur pensée pour la réduire au silence, mais de ceux qui ont un esprit vif, pleinement éveillé. S'il n'y a ni pensée ni mot, l'esprit n'est-il pas dans une tout autre dimension ?

« Certes, il y a quelque chose de tout différent lorsque le moi n'est pas en action, lorsqu'il n'est pas en train de s'affirmer, mais cela ne veut pas dire nécessairement que le moi n'existe pas — simplement parce qu'il n'est pas en action. »

Bien sûr, il existe ! Le « moi », l'ego, l'amas de mémoires existe. Nous ne le voyons exister que lorsqu'il réagit à une provocation, mais il est là, peut-être assoupi ou en suspens, attendant la première occasion de réagir. L'homme avide est absorbé, la

36

plupart du temps, par son avidité, il peut avoir des moments où elle n'est pas active, mais elle est toujours là.

« Quelle est cette entité vivante qui s'exprime par l'avidité ? »

C'est toujours l'avidité. Les deux ne sont pas séparées.

« Je comprends parfaitement ce que vous appelez l'ego, le "moi", sa mémoire, son avidité, ses affirmations, ses exigences de toutes sortes, mais n'y a-t-il pas autre chose que cet ego ? En son absence, déclarez-vous qu'il n'y a qu'une oblitération ? »

Lorsque cesse le bruit de ces corneilles, il y a quelque chose : ce quelque chose est le bavardage des esprits — les problèmes, les soucis, les conflits et même cette enquête sur ce qui reste après la mort. On ne peut répondre à cette question que lorsque l'esprit n'est plus avide et envieux. Ce qui nous intéresse n'est pas ce qui demeure lorsque cesse l'ego, mais plutôt la fin de tous les attributs de l'ego. C'est cela, le vrai problème : non ce qu'est le réel ou s'il existe quelque chose de permanent, d'éternel, mais si un esprit conditionné par l'ordre culturel dans lequel il vit et dont il est responsable, si un tel esprit peut se délivrer et découvrir la réalité.

« Alors comment dois-je commencer à me libérer moi-même ? »

Vous ne pouvez pas vous libérer. Vous êtes le germe de votre conditionnement et lorsque vous demandez « comment », c'est une méthode que vous demandez pour détruire le « vous », mais dans l'acte de détruire le « vous », vous en créeriez un autre.

« Si je puis poser une autre question, qu'est donc l'immortalité ? La mortalité est la manière d'être de la vie, avec sa douleur et sa souffrance. L'homme a recherché sans arrêt une immortalité, un état d'où la mort serait absente. »

Encore une fois, Monsieur, vous revenez à la question au sujet de l'intemporel, de ce qui est au-delà de la pensée. L'innocence est au-delà de la pensée, laquelle, quoi qu'elle fasse, ne peut jamais l'atteindre, car la pensée est toujours vieille. C'est l'innocence, comme l'amour, qui est immortelle, mais pour qu'elle existe, il faut que l'esprit se soit libéré des milliers d'hiers avec leurs mémoires. Et la liberté est un état en lequel il n'y a ni haine, ni violence, ni brutalité. Si nous n'éliminons pas tout cela, comment pouvons-nous demander ce qu'est l'immortalité, ce qu'est l'amour, ce qu'est la vérité?

6

Si l'on entreprend de méditer de propos délibéré, ce n'est pas de la méditation. Si l'on se propose d'être bon, la bonté ne fleurira jamais. Si l'on cultive l'humilité, elle cesse d'être. La méditation est comme la brise qui vient lorsqu'on laisse la fenêtre ouverte; mais si on la laisse ouverte délibérément, si, délibérément, on invite la brise, elle n'apparaîtra jamais.

La méditation n'est pas dans le processus de la pensée, car la pensée est si rusée qu'elle a d'infinies possibilités de se créer des illusions, mais alors la méditation lui échappe. Comme l'amour, elle ne peut être pourchassée.

Le fleuve, ce matin-là était immobile. On pouvait y voir les reflets des nuages et du nouveau blé de l'hiver, et, au delà, le bois. Même la barque du pêcheur n'avait pas l'air de le troubler. Le calme du matin s'étendait sur les terres. Le soleil était juste en train de monter au-dessus du sommet des arbres, une voix lointaine appelait, et, tout près, un chant sanscrit était dans l'air.

Les perroquets et les mainates n'avaient pas encore commencé leur quête de nourriture; les vautours, le cou nu, lourds, étaient perchés sur le sommet de l'arbre, attendant la charogne qui viendrait, portée par le fleuve. Souvent on pouvait suivre du regard quelque animal mort qui flottait, un vautour ou deux s'asseoir dessus, et les corneilles s'agiter autour, dans l'espoir d'un petit morceau. Parfois un chien nageait jusque-là, et ne parvenant pas à y poser les pattes, s'en retournait sur la rive et s'en allait errer ailleurs. De temps en temps un train passait, faisant un bruit de ferraille sur le pont, qui était assez long. Et au-delà, en amont du fleuve, gisait la ville.

C'était une matinée pleine de joie tranquille. La pauvreté, la maladie et la douleur ne marchaient pas encore sur la route. Il y avait un pont chancelant à travers le ruisseau, — brun sale — et l'endroit où ce petit ruisseau rejoignait le grand fleuve passait pour être très saint; là, les jours de fête, des gens, hommes, femmes et enfants, venaient se baigner. Il faisait froid, mais cela leur était égal apparemment. Le prêtre du temple qui bordait le chemin faisait beaucoup d'argent; et la laideur commençait.

C'était un homme barbu, qui portait un turban. Il s'occupait de quelque affaire et d'après son apparence avait l'air prospère et bien nourri. Il était lent dans sa démarche et dans sa pensée. Ses réactions étaient encore plus lentes. Il lui fallait plusieurs minutes pour comprendre une simple assertion. Il dit qu'il avait un gourou personnel, et, comme il passait par là, il avait obéi à l'impulsion de venir et de parler de choses qui lui semblaient importantes.

« Pour quelle raison, dit-il, êtes-vous contre les gourous ? Cela me semble si absurde. Ils savent, et moi, je ne sais pas. Ils peuvent me guider, m'aider, me dire quoi faire, et m'épargner beaucoup d'efforts et de souffrances. Ils sont comme une lumière dans les ténèbres, et on est bien obligé de se faire guider par eux, sans quoi on serait perdu, dans un état de confusion et de détresse. Ils m'ont dit que je ne devais pas venir vous voir, car ils m'ont montré le danger de ceux qui n'acceptent pas la connaissance traditionnelle. Ils m'ont dit que si j'écoutais des personnes autres qu'eux-mêmes je détruirais l'édifice qu'ils ont bâti si soigneusement. Mais la tentation de venir vous voir était trop forte, donc me voici ! »

Il avait l'air assez content d'avoir cédé à la tentation.

Quelle est l'utilité d'un gourou ? Sait-il plus que vous ne savez vous-même ? Et que sait-il ? S'il dit qu'il sait, en vérité il ne sait pas, et d'ailleurs le mot n'est pas la réalité de ce qu'il désigne. Est-il possible d'enseigner cet extraordinaire état ? Ils peuvent peut-être vous le décrire, éveiller votre intérêt, votre désir de le posséder, de le vivre — mais ils ne peuvent pas vous le donner. Il vous faut marcher par vous-même, il vous faut entreprendre le voyage tout seul, et au cours de ce voyage, il vous faut être votre propre maître et élève.

« Mais tout cela est très difficile, n'est-ce pas ? dit-il, et les pas peuvent être rendus plus aisés par ceux qui ont expérimenté cette réalité. »

Ils deviennent l'autorité, et, d'après eux, tout ce que vous avez à faire, c'est simplement suivre, imiter, obéir, accepter l'image, le système qu'ils offrent. De cette façon, vous perdez toute initiative, toute perception directe. Vous ne faites que suivre ce qu'ils croient être la voie de la vérité. Malheureusement, la vérité n'a pas de voie qui y mène.

« Que voulez-vous dire ? » s'écria-t-il, scandalisé.

Les êtres humains sont conditionnés par des propagandes, par la société où ils ont été élevés, chaque religion déclarant que sa propre voie est la meilleure. Et il y a mille gourous qui affirment que leur méthode, leur système, leur façon de méditer, est le seul chemin qui mène à la vérité. Notez que chaque disciple tolère avec condescendance les disciples des autres gourous. La tolérance est l'acceptation civilisée de la division entre les hommes — politique, religieuse, sociale. L'homme a inventé de nombreux sentiers qui réconfortent chaque croyant, et ainsi le monde est fragmenté.

« Voulez-vous dire que je doive renoncer à mon gourou ? Abandonner tout ce qu'il m'a enseigné ? Je serais égaré. »

Mais ne devez-vous pas être égaré pour trouver ? Nous avons peur de nous perdre, d'être dans l'incertitude, donc nous courons après ceux qui nous promettent le paradis dans le domaine religieux, politique ou social. Ils ne font ainsi que renforcer notre peur, et nous retiennent prisonniers de cette peur.

« Mais pourrais-je marcher par moi-même ? » demanda-t-il d'une voix incrédule.

Il y a eu tant de sauveurs, de maîtres, de gourous, de leaders politiques, de philosophes, et pas un d'entre eux ne vous a sauvé de votre détresse intérieure, et de vos conflits. Alors pourquoi les suivre ? Peut-être y a-t-il une tout autre approche à vos problèmes.

« Mais ai-je assez de sérieux pour venir tout seul à bout de tout cela ? »

Vous ne serez sérieux que lorsque vous commencerez à comprendre — non par l'entremise d'un tiers — les plaisirs que vous poursuivez en ce moment. Vous vivez en ce moment au niveau des plaisirs. Non que l'on doive se les interdire, mais si cette poursuite des plaisirs est à la fois le commencement et la fin de votre vie, il est évident que vous ne pouvez pas être sérieux.

« Vous me faites sentir désemparé et sans espoir. »

Vous vous sentez désemparé parce que vous voulez les deux choses : être sérieux et les plaisirs que le monde peut donner. Ceux-ci, de toute manière, sont si médiocres et mesquins que vous désirez par surcroît le plaisir que vous appelez « Dieu ». Si vous voyez tout cela par vous-même, non selon quelqu'un d'autre, cette vision fera de vous le disciple et le maître. C'est le point essentiel. Alors vous serez l'instructeur, celui qui s'instruit et l'enseignement.

« Mais, déclara-t-il, vous êtes un gourou. Vous m'avez appris quelque chose ce matin et je vous accepte comme mon gourou. »

Rien n'a été enseigné, mais vous avez *regardé*. Regarder vous a fait voir. L'action de regarder est votre gourou, si cela vous plaît de vous exprimer ainsi. Mais il ne tient qu'à vous de regarder ou de ne pas regarder. Personne ne vous y oblige. Si vous regardez parce que vous voulez être récompensé ou par crainte d'un châtiment, cette raison vous empêche de voir. Pour voir, il faut être libre de toute autorité, des traditions, de la peur, ainsi que de la pensée et de l'artifice de ses mots. La vérité n'est pas en quelque lieu lointain, elle est dans l'acte de regarder ce qui est. Se voir soi-même tel que l'on est — en cette lucidité où n'entre aucune option — est le commencement et la fin de toute recherche.

7

La pensée ne peut ni concevoir ni formuler la nature de l'espace. Tout ce qu'elle formule contient les limitations de ses propres frontières. Cet espace n'est pas celui que rencontre la méditation. La pensée a toujours un horizon. L'esprit méditatif n'en a pas. La pensée ne peut pas plus aller du limité à ce qui est immense, qu'elle ne peut transformer le limité en illimité. Elle doit abandonner l'un pour que l'autre soit. La méditation est l'ouverture d'une porte dans des espaces qui ne peuvent être imaginés et qui ne peuvent être l'objet de spéculations. La pensée est le centre autour duquel est l'espace d'une idée, et cet espace peut être étendu par l'adjonction d'autres idées. Mais une telle expansion au moyen de stimulants, sous n'importe quelle forme, n'est pas la vaste étendue en laquelle il n'y a pas de centre. La méditation est la compréhension de ce centre et son dépassement. Le silence et l'étendue vont de pair. L'immensité du silence est l'immensité d'une conscience en laquelle n'existe pas de centre. La perception de cet espace et de ce silence n'est pas du domaine de la pensée. La pensée ne peut percevoir que sa propre projection, et lorsqu'elle la reconnaît, elle trace sa propre frontière.

On traversait le petit ruisseau sur un pont branlant de bambou et de terre battue. Le ruisseau rejoignait le grand fleuve et disparaissait dans les eaux de son intense courant. Le petit pont était troué et on devait y marcher avec certaines précautions. On montait sur une pente sablonneuse, on dépassait le petit temple, et un peu plus loin, un puits qui était aussi vieux que les puits de la terre. Cela se trouvait à un coin du village où il y avait beaucoup de chèvres et des femmes et des hommes faméliques enveloppés dans des vêtements sales, car il faisait bien froid. Ils vivaient de leur pêche dans le grand fleuve, mais étaient cependant très maigres, émaciés, déjà vieux, et quelques-uns étaient estropiés. Dans le village, des tisserands confectionnaient de merveilleux brocarts et des saris de soie, dans des chambres sombres et misérables, percées de petites fenêtres. C'était un artisanat transmis de père en fils, dont le profit allait aux intermédiaires et aux boutiquiers.

On ne traversait pas le village, mais on obliquait vers la gauche et on suivait un sentier qui était devenu sacré car d'après la tradition, le Bouddha l'avait pris il y a 2500 ans, et des pèlerins venaient de toutes les régions du pays, pour le parcourir. Ce sentier traversait des champs verts, des vergers de manguiers, de goyaviers, et passait entre des temples disséminés. Il y avait un ancien village d'une époque antérieure probablement, à celle du Bouddha, avec de nombreux autels ainsi que des refuges où les pèlerins pouvaient passer la nuit. Tout était en ruines, maintenant, et personne n'avait l'air de s'en soucier; les chèvres erraient alentour. Il y avait de grands arbres, un vieux tamarinier avec des vautours à son sommet, et un rassemblement de perroquets. On les voyait arriver et disparaître dans le vert de l'arbre; ils prenaient la couleur des feuilles; on entendait leurs cris stridents mais on ne pouvait pas les voir.

Des deux côtés du sentier s'étendaient des champs de blé hivernal; et au loin étaient des villageois et les feux au-dessus desquels ils cuisinaient. L'air était immobile, la fumée s'élevait toute droite. Un taureau massif, à l'air féroce mais parfaitement inoffensif, errait à travers la campagne, mangeant du grain que le fermier semait au travers du champ. Il avait plu la nuit et l'épaisse poussière avait été abattue. Il ferait chaud au cours de la journée, mais maintenant il y avait de lourds nuages et il était agréable de marcher, même alors qu'il faisait jour, de sentir l'odeur propre de la terre et de voir sa beauté. C'était une très ancienne terre pleine d'enchantement et de douleur humaine avec sa pauvreté et ses temples inutiles.

« Vous avez beaucoup parlé de beauté et d'amour, et après vous avoir écouté, je vois que je ne sais ni ce qu'est la beauté, ni ce qu'est l'amour. Je suis un homme ordinaire, mais j'ai lu une grande quantité de livres de philosophie et de littérature. Les explications qu'ils donnent semblent différer de ce que vous dites. Je pourrais vous citer ce que les Anciens de ce pays ont dit de l'amour et de la beauté et aussi la façon dont ces sujets ont été traités en Occident, mais je sais que vous n'aimez pas les citations car elles sont empreintes d'autorité. Mais, Monsieur, si vous y êtes disposé, nous pourrions aborder cette question et peut-être pourrais-je comprendre ce que beauté et amour peuvent vouloir dire. »

Pourquoi avons-nous si peu de beauté dans nos vies ? Pourquoi les musées, avec leurs peintures et leurs statues, sont-ils nécessaires ? Pourquoi avez-vous besoin d'entendre de la musique ? Ou de lire des descriptions de paysages ? Le bon goût peut être enseigné, et il arrive qu'on l'ait naturellement, mais le bon goût n'est pas la beauté. Est-elle dans quelque chose qui a été assemblé — dans le luisant avion d'aujourd'hui, dans la compacte bande enregistrée, dans l'hôtel moderne ou dans le temple grec — est-ce la beauté de ligne d'une machine très complexe ou la courbe d'un superbe pont jeté sur un abîme ?

« Voulez-vous dire qu'il n'y a aucune beauté dans ce qui a été merveilleusement assemblé et qui fonctionne parfaitement ? Aucune beauté dans un chef-d'œuvre de l'art ? »

Bien sûr, il y en a. Lorsqu'on regarde l'intérieur d'une montre, on voit sa remarquable minutie ; il y a là une certaine qualité de beauté ; ainsi que dans les anciennes colonnes de marbre, ou dans les mots d'un poète. Mais si la beauté n'est que cela, elle n'est qu'une réaction superficielle des sens. Lorsque vous voyez un palmier solitaire contre le soleil couchant, est-ce l'immobilité de la palme, la paix du soir qui vous font sentir la beauté ? La beauté, comme l'amour, n'est-elle pas au delà du toucher et de la vue ? Est-ce du ressort de l'éducation, du conditionnement, de dire : « Ceci est beau, cela ne l'est pas ? » Est-ce du ressort de la coutume, de l'habitude, du style, de dire : « Ceci est sordide, mais cela est l'ordre et l'épanouissement du bien ? » Si la beauté était du ressort du conditionnement, elle serait un produit de la culture et de la tradition, et ne serait donc pas la beauté. Si elle était le produit, ou l'essence de l'expérience, alors pour l'homme de l'Occident ou de l'Orient, elle dépendrait de l'éducation et de la tradition. L'amour, comme la beauté, appartient-il à l'Est ou à l'Ouest, au christianisme ou à l'hindouisme ? Est-il un monopole d'État ou celui d'une idéologie ? Évidemment pas.

« Alors qu'est-ce que c'est ? »

Voyez-vous, Monsieur, l'austérité dans l'abandon de soi-même est la beauté. Sans austérité il n'y a pas d'amour et sans abandon de soi-même la beauté n'a aucune réalité. Nous entendons par austérité non pas la dure discipline du saint ou du moine ou du commissaire dans leur orgueilleuse négation d'eux-mêmes, ni la discipline qui leur confère un pouvoir et une notoriété — l'austérité n'est pas cela. L'austérité n'est pas rigide ; elle n'est pas l'assertion disciplinée de l'importance d'une personne. Elle n'est pas le refus du confort, elle ne fait pas vœu de pauvreté ou de célibat. L'austérité est la perfection de l'intelligence. Cette austérité ne peut avoir lieu que dans l'abandon de soi-même, ce qui ne peut se faire ni par volonté, ni par option, ni dans un dessein délibéré. C'est l'action de la beauté qui provoque l'abandon et c'est l'amour qui fait naître cette profonde clarté intérieure de l'austérité.

La beauté est cet amour où le mesurable n'est plus. Alors cet amour, quoi qu'il fasse, est beauté.

« Que voulez-vous dire : quoi qu'il fasse ? Si le soi est abandonné, il ne reste plus rien à faire. »

Faire n'est pas distinct de ce qui est. C'est leur séparation qui engendre les conflits et la laideur. Lorsque cette séparation n'existe pas, le fait même de vivre est l'acte d'amour. La profonde simplicité intérieure de l'austérité oriente vers une existence qui n'a pas de dualité. Tel est le voyage que la conscience a dû entreprendre pour découvrir cette beauté qui n'a pas de mot. Ce voyage est la méditation.

8

La méditation est un dur travail. Elle exige la plus haute forme de discipline — non celle du conformisme, de l'imitation, de l'obéissance ; mais celle qui résulte de ce que l'on est constamment conscient, à la fois du monde extérieur et de la vie intérieure. Donc la méditation n'est pas une activité dans l'isolement, mais une action dans la vie quotidienne, faite de coopération, de sensibilité et d'intelligence. Si la méditation ne pose pas les fondements d'une vie irréprochable, elle devient une évasion et par conséquent n'a absolument aucune valeur. Être irréprochable, ce n'est pas se conformer à une morale sociale, mais être libéré de l'envie, de l'avidité et de la recherche du pouvoir, qui sont des causes d'inimitié. On ne s'en libère pas par une action volontaire, mais en en étant conscient, du fait qu'on se connaît. Si l'on ne connaît pas les activités du moi, la méditation devient une excitation sensorielle et a très peu de sens.

A cette latitude il n'y a presque pas d'aurore ou de crépuscule, et le fleuve, ce matin-là, large et profond, était de plomb fondu. Le soleil n'était pas encore au-dessus des terres mais il y avait une clarté à l'est. Les oiseaux n'avaient pas encore commencé à chanter leur chœur matinal et les villageois ne s'interpellaient pas encore. L'étoile du matin était haute dans le ciel et, tandis que vous l'observiez, elle devenait de plus en plus pâle jusqu'au moment où le soleil fut juste au-dessus des arbres, alors le fleuve devint argent et or.

Ensuite, les oiseaux s'animèrent et le village se réveilla. Tout d'un coup, apparut au bord de la fenêtre, un grand singe, gris, avec un visage noir et une touffe de cheveux sur le front. Ses mains étaient noires et sa longue queue pendait du haut de la fenêtre, dans la chambre. Il s'assit, très calme, presque figé, nous regardant sans un mouvement. Nous étions tout près l'un de l'autre, à un mètre ou deux de distance. Et soudain il tendit le bras, et nous nous tînmes les mains quelque temps. Sa main était rugueuse, noire et poussiéreuse car il avait grimpé par le toit, par le petit parapet au-dessus de la fenêtre, était redescendu et s'était assis là. Il était tout à fait décontracté, et, ce qui était surprenant, extraordinairement joyeux. Il n'avait aucune crainte, aucune gêne ; c'était comme s'il était chez lui. Il était là, avec le fleuve brillamment doré, maintenant, et, au-delà, la berge verte et les arbres lointains. Nous dûmes nous tenir la main assez longtemps ; puis d'une manière presque fortuite, il retira la sienne mais resta à sa place. Nous nous regardions et on pouvait voir ses yeux noirs briller, petits et pleins d'une étrange curiosité. Il voulut entrer dans la chambre mais hésita, puis allongea ses bras et ses jambes, rejoignit le parapet, fut au-dessus du toit, et disparut. Le soir il fut de nouveau là, niché très haut sur un arbre, mâchant quelque chose. Nous lui fîmes des signes, mais il n'y eut pas de réponse.

L'homme était un *sannyasi*, un moine, avec un visage assez beau et fin et des mains délicates. Il était propre et sa robe avait été récemment lavée bien que non repassée. Il dit qu'il venait de Rishikesh où il avait passé plusieurs années auprès d'un gourou qui, maintenant, s'était retiré dans les hautes montagnes et vivait seul. Il dit qu'il était allé dans de nombreux ashrams. Il avait quitté sa famille depuis longtemps, peut-être à l'âge de vingt ans. Il ne se souvenait pas très bien de l'âge qu'il avait à ce moment-là. Il dit qu'il avait des parents et plusieurs sœurs et frères mais qu'il avait perdu tout contact avec eux. Il avait fait ce long chemin pour venir, car plusieurs gourous lui avaient conseillé de nous voir et aussi parce qu'il avait lu quelques bribes par-ci par-là. Récemment il avait parlé à un compagnon sannyasi... Bref, il était là. On ne pouvait pas deviner son âge; il avait dépassé l'âge moyen, mais ses yeux et sa voix étaient encore jeunes.

« Ce fut mon sort d'errer à travers l'Inde, visitant les différents centres avec leurs gourous, les uns érudits, d'autres ignorants mais ayant une certaine qualité d'authenticité, et enfin ceux qui ne sont que des exploiteurs distribuant des mantras, qui ont souvent voyagé à l'étranger et acquis une certaine notoriété. Ceux qui sont au-dessus de cela sont très rares, mais mon gourou faisait partie de ces exceptions. Maintenant il s'est retiré dans une région lointaine et isolée des Himalayas. Tout un groupe, parmi nous, va le voir une fois par an pour recevoir sa bénédiction. »

Est-il nécessaire de s'isoler loin du monde ?

« Il est bien évident qu'on doit renoncer au monde, car il n'est pas réel, et il faut avoir un gourou pour vous instruire, car le gourou a eu un contact avec la réalité, et il aide un disciple à l'atteindre. Il sait, et nous ne savons pas. Nous sommes étonnés de vous entendre dire qu'aucun gourou n'est nécessaire, car vous vous opposez à la tradition. Vous êtes, vous-même, devenu un gourou pour de nombreuses personnes, et on ne peut pas, tout seul, trouver la vérité. On doit recevoir de l'aide — les rituels et les directives de ceux qui savent. Peut-être doit-on, à la fin se guider seul, mais pas maintenant. Nous sommes des enfants et nous avons besoin de ceux qui ont avancé le long du sentier. Ce n'est qu'en s'asseyant aux pieds de ceux qui savent que l'on peut apprendre. Mais vous avez l'air de nier tout cela, et je suis venu pour — avec beaucoup de sérieux — savoir pourquoi. »

Regardez donc ce fleuve — la lumière du matin sur lui, et ces verts champs de blés, étincelants de plénitude, et, plus loin, les arbres. Il y a là une grande beauté et les yeux qui la voient doivent être pleins d'amour pour l'appréhender. Entendre le fracas de ce train sur le pont métallique est aussi important qu'entendre la voix de l'oiseau. Regardez donc — et écoutez ces pigeons qui roucoulent. Et regardez ce tamarinier avec ces deux perroquets verts. Pour que des yeux puissent les voir, ils doivent communier avec le fleuve, avec cette barque qui passe, pleine de villageois qui chantent en ramant. Tout cela fait partie du monde. Si vous y renoncez, vous renoncez à la beauté et à l'amour — à la terre elle-même. Ce à quoi vous déclarez renoncer, c'est la compagnie des hommes, ce ne sont pas les interprétations que l'homme a données du monde. Vous ne renoncez pas à la culture, à la tradition, à la connaissance — tout cela, vous l'emportez avec vous dans votre retraite hors du monde. Vous renoncez à la beauté et à l'amour, parce que vous avez peur de ces deux mots et de ce qu'ils recèlent. La beauté est associée à une réalité sensorielle, avec ses implications sexuelles et l'amour qui y est mêlé. Ce renoncement a eu pour effet, sur les personnes soi-disant religieuses, de les centrer sur elles-mêmes — peut-être à un niveau plus élevé que celui du commun des hommes, mais c'est quand même de l'égocentrisme. Lorsqu'on n'a ni beauté ni amour, on n'a aucune possibilité de contact avec l'immesurable. Si vous observez dans ses profondeurs le domaine des sannyasis et des saints, vous voyez que cette beauté et cet amour sont loin d'eux. Ils peuvent en parler, mais ils se disciplinent durement, ils sont violents dans leurs règles et leurs exigences. Donc essentiellement, bien qu'ils revêtent une robe safran ou une robe noire, ou l'écarlate du cardinal, leurs valeurs sont celles du monde. C'est une profession comme n'importe quelle autre; elle n'est certainement pas ce qu'on appelle spirituelle. Certains d'entre eux devraient être des hommes d'affaires et ne pas prendre des airs de spiritualité.

« N'êtes-vous pas, Monsieur, un peu dur? »

Non, nous ne faisons que constater un fait, et le fait n'est ni dur, ni agréable, ni déplaisant; il est ce qu'il est. La plupart d'entre nous se refusent à affronter les choses telles qu'elles sont. Mais tout cela est assez évident et dit sans ambages. L'isolement est le propre de la vie, il caractérise l'état du monde. Chaque être humain, par son activité égocentrique, s'isole lui-même, qu'il soit marié ou non, qu'il parle de coopération ou de succès. Lorsque l'isolement devient extrême, survient une névrose qui parfois produit — si l'on a du talent — l'art, la bonne littérature, etc. Ce retrait du monde, de ses bruits, de ses brutalités, ses haines et ses plaisirs, fait partie du processus d'isolement, n'est-ce pas ? A cette différence près que le sannyasi s'isole au nom de la religion, ou de Dieu, et que l'homme compétitif accepte que la solitude soit inhérente à la structure sociale. Dans l'isolement, il est certain qu'on acquiert certains pouvoirs, une certaine qualité d'austérité et de frugalité qui donne un sentiment de puissance. Et la puissance qu'elle soit celle d'un champion olympique, du premier ministre ou d'un grand chef religieux est la même. Le pouvoir sous n'importe quelle forme est un mal — s'il est permis d'employer ce mot — et l'homme qui l'exerce ne peut jamais ouvrir la porte à la réalité. Ainsi l'isolement n'est pas la voie.

La coopération est nécessaire pour peu que l'on veuille vivre ; et il n'y a aucune coopération entre le disciple et son gourou. Le gourou détruit le disciple et le disciple détruit le gourou. Dans ce rapport entre celui qui enseigne et celui qui reçoit, comment peut-il y avoir coopération, travail en commun, recherche commune, exploration de groupe ? Cette division hiérarchique, qui est partie intégrante de la structure sociale, que ce soit dans le champ de la religion, dans l'armée, ou dans les affaires, est essentiellement mondaine. Et quand on renonce au monde on est pris dans la mondanité.

Être religieux ce n'est pas porter un pagne, n'avoir qu'un repas par jour, ou répéter quelque mantra ou quelques phrases absurdes bien qu'elles puissent agir comme stimulants. Et c'est être encore mondain lorsqu'on renonce au monde et qu'on en fait partie intérieurement, parce qu'on est envieux, avide et peureux, qu'on accepte l'autorité et la division entre celui qui sait et celui qui ne sait pas. C'est encore s'attacher au siècle que de rechercher une réussite, que ce soit la célébrité ou la réalisation d'un but que l'on appelle l'idéal, ou Dieu, ou autrement. Ce qui est essentiellement du siècle c'est accepter la tradition d'une culture. Se retirer dans une montagne, loin des hommes, n'élimine pas cette vanité. La réalité, en aucune circonstance, ne se trouve dans cette direction.

Il faut être seul, mais cet état n'est pas un isolement. Il implique un affranchissement du monde de l'avidité, de la haine et de la violence, avec ses subtilités, sa douloureuse solitude et son désespoir.

Être seul c'est être un étranger qui n'appartient à aucune religion, nation ou croyance, à aucun dogme. Être seul est l'état d'une innocence que n'ont jamais atteint les méfaits commis par l'homme. C'est une innocence qui peut vivre dans le monde, avec toutes ses confusions, et pourtant ne pas y appartenir. Elle ne porte aucun revêtement particulier. La floraison du bien n'a lieu le long d'aucun sentier, car il n'y a pas de sentier qui mène à la vérité.

9

Ne pensez pas que la méditation soit le prolongement ou l'expansion d'une expérience vécue. Au cours
d'une expérience il y a toujours le témoin, et celui-ci
est à tout jamais lié au passé. La méditation, au
contraire, est une inaction totale, laquelle met fin à
toute expérience. L'action de l'expérience, ayant ses
racines dans le passé, nous rend tributaires du temps ;
elle conduit à une action qui est inaction et qui provoque du désordre. La méditation est la totale inaction d'une conscience qui voit ce qui est, sans les
empêtrements du passé. Cette action n'est pas une
réponse à une provocation : c'est la provocation
même qui agit, de sorte qu'il n'y a point là, de dualité.
La méditation consiste à se dépouiller de toute expérience. C'est un processus qui, consciemment ou
inconsciemment, continue sans arrêt et qui, par
conséquent, n'est pas limité à certaines heures de la
journée. C'est une action continue, du matin jusqu'à
la nuit — une observation sans observateur. Il n'y a
donc pas de division entre la vie quotidienne et la
méditation, entre la vie religieuse et la vie séculière.
La division ne se produit que lorsque l'observateur est
lié au temps. Cette division est un état de désarroi,
d'infortune et de confusion, qui est l'état de la société.
    La méditation n'est donc ni individualiste ni
sociale ; elle transcende les deux, donc inclut les deux.

C'est cela, l'amour : la floraison de l'amour est méditation.

Il faisait frais ce matin-là, mais comme la journée
avançait, il commença à faire vraiment chaud, et en
marchant à travers la ville, le long des rues étroites,
surpeuplées, poussiéreuses, sales, bruyantes, on se
rendait compte que toutes les rues étaient ainsi. On
pouvait presque voir exploser la population. L'auto
était contrainte d'avancer très lentement, car les gens
marchaient au beau milieu de la rue. La chaleur aug-
mentait maintenant. Graduellement, avec de nombreux coups d'avertisseur, on parvenait à sortir de la
ville, et on en était heureux. On dépassait la région
des usines, et enfin on était dans la campagne.

La campagne était sèche. Il avait plu à quelque
temps de là, et maintenant les arbres attendaient les
pluies à venir — et ils avaient longtemps à attendre.
On dépassait des villages, des troupeaux, des chars à
bœufs, des buffles qui refusaient de quitter le milieu
de la route, et on dépassait aussi un vieux temple qui
avait un air délabré mais avait gardé le caractère d'un
ancien sanctuaire. Un paon sortit des bois ; son brillant cou bleu étincelait au soleil. Il n'eut pas l'air de
craindre l'auto, car il traversa la route avec une
grande dignité, puis disparut dans les champs.

On commençait ensuite à monter sur des collines
aux pentes raides, avec, des deux côtés de la route,
des ravins profonds. Il commençait à faire plus frais,
les arbres étaient moins secs. Après avoir parcouru
des lacets à travers les collines, on arrivait à la maison. Il faisait alors tout à fait nuit. Les étoiles
devinrent très claires. On avait l'impression de pouvoir presque les toucher en allongeant le bras. Le
silence de la nuit se répandait sur les terres. Ici, l'on
pouvait être seul, sans être dérangé, regarder les
étoiles et s'observer soi-même, sans fin.

L'homme dit que la veille un tigre avait tué un
buffle, qu'il reviendrait certainement à sa proie, et
aurions-nous le désir, plus tard dans la soirée, d'aller

voir le tigre? Nous dîmes que nous en serions enchantés. Il répondit : « J'irai donc préparer un abri dans un arbre près de la carcasse, et attacher à l'arbre une chèvre vivante. Le tigre viendra à la chèvre avant de retourner à son vieux butin. » Nous répliquâmes que nous préférions ne pas voir le tigre aux dépens de la chèvre. Après une brève conversation, l'homme s'en alla. Ce soir-là, notre ami dit : « Prenons la voiture et allons dans la forêt. Peut-être pourrons-nous rencontrer ce tigre. » Donc, après le coucher du soleil, nous parcourûmes quelques kilomètres dans la forêt, et, naturellement, il n'y avait aucun tigre. Alors nous prîmes le chemin du retour, nos phares éclairant la route. Nous avions perdu tout espoir de voir le tigre et nous poursuivions notre chemin sans plus y penser. Au moment précis où nous prenions un virage — il se trouva là, au milieu de la route, énorme, les yeux fixes et brillants. La voiture stoppa, et l'animal, immense et menaçant vint vers nous en grondant. Il était tout près, maintenant, juste en face du radiateur. Puis il obliqua et vint au côté de la voiture. Nous sortîmes la main pour le toucher en passant, mais l'ami saisit le bras et le ramena vivement, car il avait quelques notions concernant les tigres. Celui-ci était très grand et comme les fenêtres étaient ouvertes on pouvait sentir son odeur qui n'était pas répugnante. Il y avait en cette bête une sauvagerie dynamique, beaucoup de puissance et de beauté. Grondant toujours, il s'en alla dans les bois, et nous reprîmes notre chemin vers la maison.

Il était venu avec sa famille — sa femme et plusieurs enfants — ils n'avaient pas un air de grande prospérité, bien qu'ils fussent assez bien habillés et bien nourris. Les enfants s'assirent quelque temps en silence, jusqu'au moment où on leur proposa d'aller jouer au dehors; ils sautèrent de joie et coururent vers la porte. Le père occupait un vague poste officiel; c'était tout bonnement, pour lui, un gagne-pain. Il demanda : « Qu'est-ce que le bonheur, et comment se fait-il qu'il ne puisse durer tout au long d'une vie? J'ai eu des moments de grand bonheur, et aussi, naturellement, de grandes peines. J'ai lutté pour vivre heureux, mais il y a toujours des douleurs. Un bonheur durable est-il possible ? »

Qu'est-ce que le bonheur ? Le reconnaît-on au moment où l'on est heureux, ou seulement plus tard, lorsqu'il a disparu ? Le bonheur est-il plaisir et le plaisir peut-il être constant ?

« Je crois pouvoir dire, Monsieur, du moins pour moi, que le plaisir fait partie de ce bonheur que j'ai connu. Je ne peux pas imaginer un bonheur sans plaisir. Le plaisir est un instinct primordial de l'homme, et si vous le supprimez, comment pourrait-il y avoir du bonheur ? »

Nous sommes en train, n'est-ce pas de creuser la question. Et si vous postulez quelque chose au départ, si vous avez une opinion ou un jugement préalables au sujet de cette enquête, vous n'irez pas loin. Pour explorer des problèmes humains très complexes, il faut une liberté dès le début. Si vous ne l'avez pas, vous êtes comme un animal attaché à un poteau, qui ne peut pas aller plus loin que ce que lui permet sa longe. C'est ce qui arrive toujours. Nous avons des concepts, des formules, des croyances ou des expériences qui nous lient comme une corde, et c'est par leur moyen que nous essayons d'observer, de regarder autour de nous, ce qui, naturellement, nous empêche de voir profondément. Donc, si nous pouvons vous le suggérer, n'avancez aucune idée ni aucune croyance, mais ayez des yeux qui puissent voir très clairement. Si le bonheur est du plaisir, c'est aussi de la douleur. On ne peut séparer le plaisir de la douleur. Ne vont-ils pas toujours de pair ?

Donc, qu'est le plaisir, et qu'est le bonheur ? Vous savez, Monsieur, si en examinant une fleur vous arrachez ses pétales un à un, il ne reste plus de fleur du tout. Vous aurez en vos mains des fragments de la fleur et les fragments ne font pas sa beauté. Donc, en examinant notre question ne l'analysons pas intellectuellement, ce qui la rendrait aride, lui ôterait son sens, la viderait de son contenu. Nous l'examinons avec des regards que cela intéresse, des regards qui comprennent, des regards qui touchent mais ne déchirent pas. Je vous prie de ne pas la mettre en pièces, afin de ne pas vous en aller les mains vides. Laissez de côté l'esprit analytique.

Le plaisir est encouragé par la pensée, n'est-ce pas ? La pensée peut lui donner une continuité, l'apparence d'une durée, que nous appelons bonheur. Elle peut de même conférer une durée à l'affliction. Elle dit : « J'aime ceci, je n'aime pas cela. Je voudrais conserver ceci et rejeter cela. » Mais c'est la pensée qui a donné consistance aux deux, et le bonheur est maintenant devenu sa préoccupation. Lorsque vous dites : « Je veux demeurer dans cet état de bonheur », vous êtes la pensée, vous êtes la mémoire d'une expérience précédente que vous appelez plaisir et bonheur.

Ainsi le passé, ou la journée d'hier, ou les nombreuses journées du passé, qui sont la pensée, sont en train de dire : « Je voudrais vivre dans cet état de bonheur où je me suis trouvé. » De la sorte, vous faites du passé mort un fait actuel dans le présent, que vous craignez de perdre demain. Vous avez construit une chaîne de continuité. Cette continuité a ses racines dans les cendres de la veille, et, par conséquent, n'est pas du tout une chose vivante. Rien ne peut fleurir dans des cendres et la pensée est faite de cendres. Vous avez fait du bonheur quelque chose qui se rapporte à la pensée, et il est, en effet, pour vous, dans le domaine de la pensée.

Mais dans ce bonheur auquel vous pensez, existe-t-il autre chose que plaisir, douleur, bonheur et affliction ? Y a-t-il en lui une félicité, une extase, que la pensée n'atteint pas ? Car la pensée est très ordinaire, il n'y a rien d'original en elle. En s'interrogeant sur le bonheur, la pensée doit renoncer à elle-même. Lorsqu'elle se démet, survient la discipline de cet abandon, qui devient la grâce de l'austérité. Alors l'austérité n'est ni sévère ni brutale. L'austérité sévère est le produit de la pensée, en tant que violente réaction contre le plaisir et contre la complaisance envers soi-même.

Dans cet abandon profond, où la pensée renonce à elle-même (car elle voit clairement son propre danger) toute la structure de la psyché devient silencieuse. C'est en vérité un état de pure attention, d'où surgit une félicité, une extase qui ne peut être mise en mots. Lorsqu'elle est exprimée par des mots, elle n'est plus la réalité.

10

La méditation est un mouvement dans l'immobilité. Le silence de l'esprit caractérise l'action vraie. L'action engendrée par la pensée est une inaction, cause de désordre. Ce silence n'est pas un produit de la pensée, ou simplement la cessation de son bavardage. L'immobilité de l'esprit n'est possible que lorsque le cerveau lui-même est tranquille. Les cellules du cerveau — qui ont été si longtemps entraînées à réagir, à projeter, à protéger, à affirmer — ne sont au repos que par la vision de ce qui *est*, en fait. A partir de ce silence, une action qui n'est pas cause de désordre n'est possible que lorsque l'observateur, le centre, l'expérience, a pris fin, car alors voir c'est faire. Voir n'est possible qu'à partir d'un silence où n'existent ni évaluation, ni valeur morale.

Le temple était plus ancien que ses dieux. Ceux-ci demeuraient prisonniers dans le temple, mais le temple lui-même les dépassait de loin en antiquité. Il avait des murs épais et, dans les couloirs, des piliers portant des sculptures de chevaux, de dieux et d'anges. Ces sculptures avaient une certaine qualité de beauté, et l'on se demandait, tout en marchant, ce qui arriverait si elles, et le dieu situé dans les profondeurs du temple, se mettaient à vivre.

On disait que ce temple, et en particulier son sanctuaire le plus reculé, remontait très loin dans le temps, bien au-delà de l'imagination. En errant le long de ses différents couloirs éclairés par le soleil du matin, avec leurs ombres nettement découpées, on s'interrogeait sur ce que tout cela pouvait signifier — comment l'homme avait imaginé des dieux, comment il les avait sculptés de ses mains, placés dans des temples et des églises, et ensuite adorés.

Les temples des temps antiques ont une étrange et fascinante beauté. Ils semblent avoir été engendrés par la terre elle-même. Ce temple-ci avait presque l'âge de l'humanité et ses dieux, revêtus de soieries, avec des guirlandes au cou, étaient dérangés dans leur sommeil par des chants, de l'encens et des clochettes. L'encens qui avait été brûlé au cours des siècles semblait pénétrer la totalité du temple, lequel était vaste et devait couvrir quelques hectares.

Des gens, riches et pauvres, semblaient être venus de toutes les parties du pays, mais seuls ceux d'une certaine classe sociale étaient admis à l'intérieur du sanctuaire. On y pénétrait par une porte basse en pierre, après avoir enjambé un parapet usé par le temps. Au dehors du sanctuaire, il y avait des gardiens en pierre, et comme on y pénétrait, il y avait des prêtres, nus jusqu'à la taille, qui chantaient, solennels et pleins de dignité. Ils étaient tous fort bien nourris, avec de gros ventres et des mains délicates. Leurs voix étaient rauques, car ils avaient chanté tant d'années; et le dieu (ou la déesse) était presque informe. Il avait dû avoir un visage à une certaine époque, mais ses traits avaient à peu près disparu. Ses joyaux devaient être sans prix.

Lorsque le chant cessa, il y eut un silence comme si la terre avait interrompu sa rotation. Ici ne filtrait aucun rayon de soleil, et la lumière ne provenait que de mèches brûlant dans l'huile. Ces mèches avaient noirci le plafond et l'endroit était mystérieusement sombre.

Tous les dieux doivent être adorés dans des ténèbres mystérieuses, sans quoi ils n'auraient pas d'existence.

Comme vous ressortiez en plein air, avec la forte

lumière du soleil, et que vous regardiez le ciel bleu et les hauts palmiers qui ondulaient, vous vous demandiez pourquoi l'homme se rend un culte à lui-même, dans des images faites de ses mains et élaborées par son esprit. La peur et ce beau ciel bleu semblaient s'éloigner l'un de l'autre.

C'était un homme encore jeune, propre, au visage fin, aux yeux vifs, prompt à sourire. Nous nous assîmes par terre dans une petite chambre surplombant un jardin modeste. Le jardin était plein de roses allant du blanc jusqu'au presque noir. Un perroquet était sur une branche, pendu la tête en bas, avec ses yeux brillants et son bec rouge. Il regardait un oiseau beaucoup plus petit que lui.

L'homme parlait assez bien l'anglais, mais était quelque peu hésitant quant au choix des mots, et pour l'instant paraissait très sérieux. Il demanda : « Qu'est-ce qu'une vie religieuse ? Je l'ai demandé à plusieurs gourous, ils m'ont donné des réponses conformes à des prototypes, et je voudrais, si vous le permettez, vous poser la même question. J'avais un bon emploi, mais comme je ne suis pas marié, je l'ai quitté car je suis profondément attiré par la religion et je voudrais savoir en quoi consiste une vie religieuse dans ce monde qui est si irréligieux. »

Au lieu de demander ce qu'est une vie religieuse, ne serait-il pas préférable, si je peux vous le suggérer, de se demander ce qu'est vivre ? Alors peut-être, pourrons-nous comprendre ce qu'est une vie vraiment religieuse. La vie soi-disant religieuse varie de climat à climat, de secte à secte, de croyance à croyance, et l'homme souffre de la propagande des intérêts organisés et investis par les religions. Si nous pouvions mettre tout cela de côté — non seulement les croyances, les dogmes et les rituels, mais aussi la respectabilité que l'on introduit dans la culture des religions — alors peut-être pourrions-nous découvrir ce qu'est une vie religieuse impolluée par la pensée de l'homme.

Mais auparavant, ainsi que je l'ai dit, voyons ce

qu'est vivre. L'actuel, dans l'existence, est le labeur quotidien, la routine avec ses luttes et ses conflits ; c'est la souffrance de la solitude, la sordide misère de la pauvreté et des richesses, l'ambition, la recherche d'un épanouissement, d'une réussite — et la douleur — : cette liste couvre tout le champ de notre vie. C'est cela que nous appelons vivre — gagner ou perdre des batailles, et la perpétuelle poursuite du plaisir.

En contraste, ou en opposition à cela, il y a ce qu'on appelle vivre une vie religieuse, ou une vie spirituelle. Mais le contraire contient le germe même de son opposé, de sorte que bien qu'il puisse paraître différent, en fait il ne l'est pas. Vous pouvez changer le revêtement extérieur, mais la contradiction interne entre ce qui est et ce qu'on souhaite est la même. Cette dualité étant le produit de la pensée, provoque encore plus de conflits, et le couloir de ce conflit est sans fin. Tout cela, nous le savons — des personnes nous l'ont dit, ou nous l'avons éprouvé nous-mêmes : tout cela est ce que nous appelons vivre.

La vie religieuse n'est pas de l'autre côté du fleuve, elle est de ce côté-ci, du côté du labeur et de la peine de l'homme. C'est cela qu'il nous faut comprendre, et c'est l'action de comprendre qui est l'acte religieux — non pas le fait de se couvrir de cendres, de porter un pagne ou une mitre, de s'asseoir avec dignité ou de se faire transporter à dos d'éléphant.

Voir l'ensemble de la condition humaine, ses plaisirs et ses souffrances, est de toute première importance, et non spéculer sur ce que devrait être une vie religieuse. Ce qui « devrait être » est un mythe ; c'est une morale que la pensée et l'imagination ont élaborée, et il faut la nier, qu'elle soit sociale, religieuse ou industrielle. Ce rejet n'est pas un acte de l'intellect : il consiste à se dégager de la structure immorale de cette morale.

La question est donc en réalité : « Est-il possible d'en sortir ? » C'est la pensée qui a créé cet effrayant chaos, cette détresse ; c'est elle qui fait obstacle à la vraie religion et à la vie religieuse. Lorsqu'elle s'imagine pouvoir franchir cet obstacle, y parviendrait-elle, ce ne serait jamais que son action propre, et comme elle n'a pas de réalité, elle créerait une autre illusion.

S'affranchir de ce conditionnement n'est pas un acte de la pensée. Il faut le comprendre clairement, autrement on se laisse prendre à nouveau dans le piège de la pensée. Après tout, le « vous-même » est un amas de mémoires, de traditions et de connaissances accumulées par les siècles. Ce n'est que lorsque la douleur prend fin (car la douleur est le résultat de la pensée) que l'on peut se dégager du monde des guerres, de la haine, de l'envie et de la violence. L'acte de ce dégagement est la vie religieuse. Cette vie religieuse ne comporte absolument aucune croyance, car elle n'a pas de demain.

« Ne demandez-vous pas, Monsieur, une chose impossible ? N'exigez-vous pas un miracle ? Comment pourrais-je me dégager sans exercer ma pensée ? La pensée est mon être-même ! »

C'est bien cela ! Cet être-même, qui est la pensée, doit parvenir à sa fin. Cet égocentrisme, avec ses activités, doit mourir d'une façon naturelle et aisée. Ce n'est qu'en cette mort que prend naissance la nouvelle vie religieuse.

11

Si vous prenez délibérément une attitude, une posture, en vue de méditer, cela devient un divertissement, un jeu de l'esprit. Si vous prenez la résolution de vous dégager de la confusion et de l'affliction du monde, cela devient une expérience imaginaire — et ce n'est pas de la méditation. L'esprit conscient ou l'esprit inconscient ne doivent y avoir aucune part; on ne doit pas même se rendre compte de l'ampleur de la beauté de la méditation; si l'on s'en rend compte, on peut aussi bien aller s'acheter un roman.

Dans l'attention totale de la méditation, il n'y a ni connaissance, ni récognition, ni le souvenir de ce qui a eu lieu. Le temps et la pensée sont entièrement parvenus à leur fin, car ils sont le centre qui limite sa propre valeur.

A l'instant où se fait la lumière, la pensée dépérit, s'éloigne, et l'effort conscient qui accompagnait l'expérience, ainsi que son souvenir, ne sont plus que le mot qui a été. Et le mot n'est jamais actuel. En cet instant-là — qui n'est pas dans le temps — l'ultime est l'immédiat, mais cet ultime n'a pas de symbole, et ne se rapporte à aucune personne, à aucun dieu.

Ce matin-là, surtout de si bonne heure, la vallée était extraordinairement tranquille. Le hibou avait cessé de huer et aucune réponse ne provenait de sa compagne, par delà les lointaines collines. Aucun chien n'aboyait, et le village n'était pas encore éveillé. A l'est il y avait une lueur, une promesse et la Croix du Sud n'avait pas encore disparu. Il n'y avait pas un seul murmure dans les feuilles, et la terre elle-même semblait avoir suspendu son mouvement. On pouvait percevoir le silence, le toucher, le sentir; il avait cette qualité-là de pénétration. Ce qui était immobile ce n'était pas le silence extérieur, sur ces collines, parmi les arbres : on en faisait partie, on n'en était pas séparé. La distinction entre bruit et silence n'avait pas de sens. Et ces collines, sombres, sans un mouvement, étaient en lui, ainsi que vous l'étiez vous-même.

Ce silence était très actif. Ce n'était pas la négation du bruit, et, étrangement, ce matin-là, il était entré par la fenêtre comme un parfum et avec lui était venu un sentiment, une sensation de l'absolu. Comme vous regardiez par la fenêtre la distance entre toutes choses disparut, les yeux s'ouvrirent avec l'aurore, et virent un monde renouvelé.

« Ce qui m'intéresse, c'est la question sexuelle, l'égalité sociale, et Dieu. Ce sont les seules choses qui comptent dans la vie, il n'y en a pas d'autres. La politique, les religions avec leurs prêtres et leurs promesses, avec leurs rituels et leurs confessions, sont offensantes. En vérité, elles ne répondent à aucune question, elles n'ont jamais résolu aucun problème, et n'ont contribué qu'à les différer. Elles ont condamné le sexe de différentes manières, elles ont appuyé les inégalités sociales, et le dieu auquel elles pensent est comme une pierre qu'elles ont revêtue d'amour et de sentimentalité. Personnellement, je n'ai que faire de toutes ces questions. Je ne vous en parle que pour les écarter et pour que nous puissions nous occuper de celles qui m'intéressent : le sexe, la détresse sociale et cette chose qu'on appelle Dieu. Pour moi, l'activité sexuelle est aussi nécessaire que la nourriture. La nature a fait l'homme et la femme, et le plaisir de la nuit qui m'est aussi important que de découvrir la vérité qu'on pourrait appeler Dieu. Et il est tout aussi important de prendre part aux souffrances du voisin que d'aimer la femme avec qui l'on vit. La vie sexuelle n'est pas un problème. J'en ai du plaisir, mais il y a en moi la peur d'un certain inconnu, et c'est cette peur et cette douleur qu'il me faut comprendre — non en tant que problème à résoudre, mais comme quelque chose que je dois pénétrer afin de m'en purifier. J'aimerais donc, si vous en avez le temps, considérer ces questions avec vous. »

Pouvons-nous commencer par la dernière, et non par la première, afin de comprendre les autres plus profondément, peut-être, alors, auront-elles un contenu autre que celui que peut donner le plaisir?

Voulez-vous affirmer votre croyance ou voulez-vous réellement voir la réalité — non pas en faire l'expérience, mais la voir vraiment, avec un esprit et un cœur intensément attentifs et clairs? Croire est une chose et voir en est une autre. La croyance mène aux ténèbres, ainsi que la foi. Elle vous conduit à l'église, dans les temples obscurs et vers les sensations agréables des rituels. Le long de cette voie il n'y a aucune réalité, il n'y a que des mirages, ces produits imaginaires qui remplissent les églises.

Si vous niez la peur, aucune croyance n'est nécessaire, mais si vous vous accrochez à des croyances et à des dogmes, la peur reprend le dessus. Les croyances ne sont pas nécessairement dictées par les religions; elles se produisent alors même que l'on n'appartient à aucune d'elles. Vous pouvez avoir votre croyance personnelle, exclusive, mais ce n'est pas la lumière de la clarté. La pensée s'appuie sur la croyance afin de se protéger de la peur qu'elle a engendrée. La pensée ne libère pas l'attention qu'il faut pour voir la vérité.

L'immesurable ne peut pas être recherché par la pensée, car la pensée a toujours une mesure. Le sublime n'est pas inclus dans la structure de la pensée et de la raison; il n'est pas un produit de l'émotion et des sentiments. Nier la pensée c'est prêter attention, et cette négation de la pensée est amour. Si vous êtes à la recherche du suprême, vous ne le trouverez pas, il vient à vous si vous avez de la chance — et la chance est la fenêtre ouverte de votre cœur, non de la pensée.

« C'est plutôt difficile, n'est-ce pas ? Vous me demandez de renier toute ma structure intérieure, le moi que j'ai nourri et entretenu avec tant de soin. J'avais pensé que la présence de ce qu'on pourrait appeler Dieu serait un plaisir éternel. C'est ma sécurité, en elle est toute mon espérance et ma délectation ; et maintenant vous me demandez de rejeter tout cela. Est-ce possible ? Et est-ce que je le désire réellement ? Et aussi, n'êtes-vous pas en train de me promettre une récompense, si je mets tout cela de côté ? Bien sûr, je vois que vous ne m'offrez pas vraiment une récompense, mais puis-je en toute réalité — non seulement en paroles — éliminer complètement tout ce pour quoi j'ai toujours vécu ? »

Si vous essayez de l'éliminer délibérément, vous vous aventurez dans un conflit, une douleur, une détresse sans fin. Mais si vous voyez ce sur quoi vous vivez, dans sa réalité, tout comme vous voyez la vérité de cette lampe, sa lumière vacillante, la mèche et le pied en cuivre — vous aurez fait un pas dans une autre dimension. En cette dimension, l'amour n'a pas de problèmes sociaux, il n'y a aucune division de races, de classes, ou de capacités intellectuelles. Seuls évoquent la nécessité de l'égalité ceux qui se situent dans l'inégalité. L'homme supérieur a besoin de conserver sa séparation, sa classe, sa façon d'être. Et l'inférieur s'efforce sans cesse de devenir le supérieur, l'opprimé de devenir l'oppresseur. Donc, simplement légiférer — bien que les lois soient nécessaires — ne met pas fin à ces conflits et à leur cruauté, pas plus qu'à l'opposition entre votre travail et votre situation. Nous mettons à profit le travail en vue d'acquérir un certain statut, et tout le cycle de l'inégalité commence. La société ne parvient pas à résoudre ses problèmes au moyen de la morale qu'elle invente. L'amour n'a pas de morale et ne réforme pas la société. Lorsque l'amour devient plaisir, la douleur est inévitable. L'amour n'est pas une pensée et c'est la pensée qui engendre le plaisir — en tant que plaisir sexuel ou que plaisir d'une réussite. En pensant au plaisir du moment vous l'amplifiez et lui donnez une continuité. Cette continuité vitalise le plaisir de l'instant qui suit. Cette quête du plaisir est ce que nous appelons la vie sexuelle, n'est-ce pas? Beaucoup d'affection l'accompagne, de tendresse, d'attention, d'intimité dans les rapports, etc. mais tout cela est tissé de souffrance et de peur. Et la pensée, par son activité, fait que ce réseau ne peut être rompu.

« Mais vous ne pouvez pas séparer le plaisir et le sexe! Je vis de ce plaisir, je l'aime. Pour moi, il est beaucoup plus important que l'argent, la situation, ou le prestige. Je vois aussi que le plaisir s'accompagne de souffrance, mais peu m'importe, puisqu'il prédomine. »

Lorsque s'épuise le plaisir où vous vous complaisiez — à cause de l'âge, par accident, ou par l'usure du temps — vous voilà en peine; alors la douleur est votre ombre. Mais l'amour n'est ni un plaisir, ni un produit du désir, et voilà pourquoi, Monsieur, il faut entrer dans une autre dimension. En elle, se résolvent nos problèmes et toutes nos disputes. Sans elle, quoi que vous fassiez, vous serez dans la douleur et dans la confusion.

12

Un grand nombre d'oiseaux volaient au-dessus de nos têtes. Les uns traversaient le large fleuve, et d'autres, très haut dans le ciel, traçaient de grands cercles, presque sans remuer leurs ailes. Ceux qui volaient très haut étaient surtout des vautours qui, dans le soleil brillant n'étaient que des points virant à la brise. Sur le sol, ils étaient balourds avec leurs cous nus et leurs larges et lourdes ailes. Il y en avait quelques-uns sur le tamarinier, que taquinaient des corneilles. L'une d'elles, surtout, poursuivait un vautour, essayant de percher sur lui. Le vautour, ennuyé, s'envola, et la corneille qui l'avait tourmenté le rejoignit et se jucha sur son dos pendant qu'il volait. C'était un spectacle assez curieux : le vautour avec la corneille noire sur lui. La corneille avait l'air de bien se divertir, alors que le vautour essayait de se débarrasser d'elle. Enfin, la corneille s'envola au-delà du fleuve et disparut dans les bois.

Les perroquets vinrent, traversant le fleuve, zigzaguant, criant, annonçant au monde entier qu'ils arrivaient. Ils étaient d'un vert brillant, avec des becs rouges et il y en avait plusieurs dans ce tamarinier. Ils venaient d'habitude le matin, descendaient le long du fleuve et revenaient parfois en poussant leurs cris rauques, mais le plus souvent ils s'absentaient toute la journée et ne revenaient qu'en fin d'après-midi, ayant chipé le grain dans les champs, et autant de fruits qu'ils avaient pu trouver. On les voyait quelques secondes parmi les tamariniers et ils disparaissaient ensuite. On ne pouvait pas vraiment les suivre à travers les toutes petites feuilles vertes de l'arbre. Ils avaient élu domicile dans un trou du tronc, et vivaient là, mâles et femelles, l'air si heureux, criaillant leur joie en s'envolant. Le soir et tôt le matin, le soleil traçait sur le fleuve un sillage, doré le matin et argenté le soir. Il n'est pas étonnant que les hommes vénèrent les fleuves ; cela vaut mieux que de rendre un culte à des images, avec tous ces rituels et ces croyances. Le fleuve était vivant, profond et généreux, toujours en mouvement ; et les petites flaques auprès des rives étaient toujours stagnantes.

Chaque être humain s'isole dans une petite flaque d'eau, et là se décompose ; il n'entre jamais dans le plein courant du fleuve. On ne sait comment ce fleuve, si pollué plus haut par des êtres humains, était propre en son milieu, bleu vert et profond. C'était un fleuve splendide, surtout très tôt le matin, lorsque montait le soleil ; il était alors calme, immobile, couleur d'argent fondu. Et tandis que le soleil montait au-dessus des arbres, il se dorait, puis était de nouveau une voie argentée ; et l'eau devenait vivante.

Dans cette chambre ayant vue sur le fleuve, il faisait frais, presque froid, car c'était le début de l'hiver. Un homme, assis en face de nous, paraissait jeune et sa femme plus jeune encore. Nous nous assîmes sur un tapis placé sur un sol assez froid et dur. Voir le fleuve ne les intéressait pas, et lorsque leur furent signalés sa largeur, sa beauté, et les vertes rives opposées, ils acquiescèrent d'un geste poli. Ils étaient venus d'assez loin, du Nord, par l'autobus et le train, et avaient hâte de parler de ce qui les préoccupait ; le fleuve, ils pourraient le regarder plus tard, lorsqu'ils en auraient le temps.

Il dit : « L'homme ne peut jamais être libre. Il est lié à sa famille, à ses enfants, à son travail. Il a des responsabilités jusqu'à sa mort. Sauf, naturellement, ajouta-t-il, s'il devient un sannyasi, un moine. »

Il voyait la nécessité d'être libre, et sentait qu'il lui était impossible d'y parvenir dans ce monde brutalement compétitif. Sa femme l'écoutait avec un regard quelque peu surpris, contente de voir que son homme pouvait être sérieux et s'exprimer fort bien en anglais. Cela lui donnait un sens de fierté possessive. Il n'en était pas du tout conscient, car elle était assise un peu en arrière.

« Peut-on jamais être libre ? demanda-t-il. Quelques écrivains politiques, des théoriciens, tels les communistes, disent que la liberté est une idée bourgeoise, impossible à atteindre et irréelle, alors que dans les démocraties on en parle beaucoup. Les capitalistes en parlent aussi, et naturellement, elle est prêchée et promise par toutes les religions, bien qu'elles veillent à ce que l'homme demeure prisonnier de leurs croyances particulières et de leurs idéologies. Elles démentent ainsi leurs promesses par leurs actes. Je suis venu pour savoir si l'homme peut être réellement libre dans ce monde, non en idée, non intellectuellement. J'ai pris un congé pour venir ; me voici donc pour deux jours, libéré de mon travail, de la routine du bureau et de l'existence quotidienne de la petite ville où je vis. Si j'avais plus d'argent je serais plus libre, je pourrais aller où je voudrais et faire ce qu'il me plairait de faire, peut-être peindre ou voyager. Mais cela m'est impossible, mon salaire est limité et j'ai mes responsabilités. Je suis prisonnier de mes responsabilités. »

Sa femme ne parvenait pas à suivre tout ce qu'il disait, mais dressa l'oreille au mot « responsabilités ». Peut-être se demandait-elle s'il désirait quitter la maison et errer sur la face de la terre.

« Ces responsabilités, continua-t-il, m'empêchent d'être libre, à la fois extérieurement et intérieurement. Je comprends que l'homme ne puisse pas être complètement libéré du monde des bureaux, des marchés, des entreprises, etc., et ce n'est pas dans ces mondes-là que je cherche la liberté ; ce que je suis venu apprendre c'est s'il est possible d'être libre intérieurement. »

Les pigeons sur la véranda roucoulaient et voletaient, les cris stridents des perroquets entrèrent par la fenêtre et le soleil scintilla sur leurs brillantes ailes vertes.

Qu'est-ce que la liberté? Est-ce une idée, une sensation que la pensée entretient parce qu'elle est prise dans une série de problèmes, de soucis, etc.? La liberté est-elle un résultat, une récompense, quelque chose que l'on trouve à la fin d'un processus? Se libérer de la colère, est-ce la liberté? Ou est-ce être en condition de faire ce que l'on veut? Trouver que la responsabilité est un fardeau et s'en dégager, est-ce la liberté? La liberté vient-elle lorsqu'on résiste ou lorsqu'on cède? La pensée peut-elle donner cette liberté, une action quelle qu'elle soit, le peut-elle?

« Je crains, Monsieur, qu'il vous faille aller un peu plus lentement. »

La liberté est-elle le contraire de l'esclavage? Est-ce la liberté lorsque, étant dans une prison, et sachant qu'on y est, et étant conscient de toutes les servitudes de la prison, on imagine la liberté? L'imagination peut-elle jamais donner la liberté ou n'est-ce qu'un fantasme de la pensée? Ce que nous connaissons en fait, et ce qui, en fait, *est*, c'est la servitude — non seulement aux choses extérieures, à la maison, à la famille, à l'emploi — mais aussi, intérieurement, aux traditions, aux habitudes, au plaisir de dominer et de posséder, à la peur, au succès et à tant d'autres choses. Lorsque le succès donne du plaisir, on ne parle jamais de se libérer, on n'y pense même pas. Nous ne parlons de liberté qu'en cas de douleur. Nous sommes enchaînés à la fois extérieurement et intérieurement et cette servitude constitue ce qui *est*. Et la résistance à ce qui est nous l'appelons liberté. On résiste ou l'on s'évade, ou l'on essaie de supprimer ce qui est, en espérant, par ce moyen, parvenir à une certaine forme de liberté. Intérieurement, nous ne connaissons que deux choses : la servitude et la résistance; et la résistance crée la servitude.

« Je suis désolé, je ne comprends rien du tout. »

Lorsque vous résistez à la colère ou à la haine, que

s'est-il produit en fait? Vous avez construit un mur contre la haine, mais elle est encore là; le mur ne fait que vous la cacher. Ou encore, vous prenez la résolution de ne pas vous fâcher, mais cette décision fait partie de la colère, laquelle est attisée par votre résistance. Vous pouvez la voir en vous-même, si vous vous observez. Lorsque vous résistez, dominez ou refoulez ou essayez de vous transcender — ce qui revient au même, car ce sont des actes de la volonté — vous épaississez le mur de la résistance, de sorte que vous devenez de plus en plus assujetti, borné, mesquin. C'est en fonction de cette mesquinerie, de cette étroitesse de vue que vous voulez être libre et ce désir même est la réaction qui créera une autre opposition, une autre mesquinerie. Ainsi nous allons d'une opposition à l'autre, en donnant parfois au mur de la résistance une différente coloration, une différente qualité, ou quelque appellation noble. Mais la résistance est une sujétion et la sujétion est une douleur.

« Est-ce que cela veut dire qu'en ce qui concerne le monde extérieur, on doit permettre à n'importe qui de vous donner des coups de pied à son gré, et qu'intérieurement on doit donner libre cours à sa colère, etc.? »

Vous n'avez, apparemment, pas écouté ce qui a été dit. Lorsqu'il s'agit d'un plaisir, vous acceptez le choc qu'il vous donne, car il vous est agréable, mais lorsque le coup devient pénible, vous résistez. Vous voulez être libéré de la douleur et pourtant vous vous accrochez au plaisir. Cet attachement obstiné est une résistance.

Il est naturel de réagir. Si vous ne réagissez pas physiquement à une piqûre d'épingle, c'est que vous êtes insensible. De même, si vous ne réagissez pas intérieurement, c'est qu'il y a en vous quelque chose de faussé. Mais seules importent la façon dont on réagit et la nature de la réaction, non la réaction elle-même. Lorsque quelqu'un vous flatte, vous réagissez; et vous réagissez si l'on vous insulte. Ces deux réactions — l'une de plaisir, l'autre de douleur, sont des résistances. Vous conservez l'une, et l'autre vous la tenez pour nulle ou vous la cultivez pour votre vengeance. Mais les deux alternatives : conserver et rejeter sont des formes de résistance, et la liberté n'est pas une résistance.

« Me serait-il possible de réagir sans la résistance du plaisir ou celle de la douleur ? »

Qu'en pensez-vous, Monsieur ? Quel est votre sentiment à ce sujet ? Est-ce moi que vous interrogez, ou est-ce vous-même ? Si un étranger, un agent extérieur répond pour vous à cette question, c'est à lui que vous vous en remettez, et cet appui devient l'autorité, qui est une résistance. Dès lors, vous chercherez à vous libérer de cette autorité-là. Comment donc pouvez-vous poser cette question à un autre qu'à vous-même ?

« Vous pourriez m'indiquer la réponse, et si je la comprends cela ne ferait intervenir aucune autorité. »

Mais nous vous avons indiqué la réalité de ce qui, en fait, *est*. Voyez la réalité de ce qui est, sans réagir, ni avec plaisir, ni avec douleur. La liberté, c'est voir. Voir, c'est la liberté. On ne peut voir qu'en liberté.

« Ce *voir* pourrait être un acte de liberté, mais quel effet aurait-il sur mon esclavage, qui est le *ce qui est*, qui est la chose vue ? »

Lorsque vous dites que voir « pourrait » être un acte de liberté, c'est une supposition, donc votre *voir* est aussi une supposition. En somme, vous ne voyez pas ce qui est.

« Je ne sais pas, Monsieur. Je vois ma belle-mère me tourmenter. Est-ce qu'elle cesse de le faire parce que je la vois ? »

Voyez l'action de votre belle-mère et voyez vos réactions, sans les réactions secondaires de plaisir ou de douleur. Voyez-la dans un état de liberté. Alors votre action pourrait être de ne pas tenir compte de ce qu'elle dit ou de sortir de la pièce. Aucun de ces deux cas ne comporterait une résistance. Cette lucidité sans option est la liberté. L'action qui en résulte ne peut être ni prédite, ni systématisée, ni définie par la structure d'une morale sociale. Cette lucidité sans option est non politique, elle n'appartient à aucun « isme », elle n'est pas le produit de la pensée.

13

« Je veux connaître Dieu », cria-t-il avec véhémence : il le hurlait presque. Les vautours étaient sur leur arbre habituel, le train ferraillait sur le pont, et le fleuve poursuivait son cours — il était très large ici, très clame et très profond. Tôt, ce matin-là, on pouvait humer de loin l'odeur de l'eau ; du haut des rives escarpées on pouvait la sentir — cette fraîcheur, cette pureté dans l'air matinal. La journée ne l'avait pas encore corrompue. Les perroquets criaient près de la fenêtre, s'en allant aux champs, et plus tard ils reviendraient au tamarinier. Les corneilles, par douzaines, traversaient le fleuve, très haut dans l'air, et plus tard elles descendraient sur les arbres et dans les champs le long du fleuve. C'était un clair matin d'hiver froid mais lumineux, et il n'y avait pas un nuage au ciel. Comme vous observiez la lumière du soleil matinal sur le fleuve, la méditation se poursuivait. La lumière même faisait partie de la méditation alors que vous regardiez l'eau brillante qui dansait dans le matin tranquille.

Vous ne regardiez pas avec un intellect qui donnait un sens à ce qu'il voyait, mais avec des yeux qui ne faisaient que voir la lumière.

La lumière, comme le son, est un phénomène extraordinaire. Il y a la lumière que des peintres essaient de mettre dans une toile ; il y a la lumière que capte la caméra ; il y a la lumière d'une lampe isolée dans les ténèbres nocturnes, ou la lumière sur le visage d'autrui, la lumière qui gît derrière des yeux. La lumière que voient les yeux n'est pas la lumière qui flotte sur l'eau ; celle-ci est différente, si vaste qu'elle ne peut pas entrer dans le champ visuel de l'œil. Cette lumière, telle un son, se mouvait sans cesse — au dehors et en dedans — comme le flux de la mer. Et si vous vous teniez très tranquille, vous alliez avec elle sans le savoir, sans la mesure du temps.

La beauté de cette lumière, tout comme l'amour, n'est pas de nature à être perceptible, ou à être mise en mots. Mais elle était là — dans l'ombre, à l'extérieur, dans la maison, sur la fenêtre de l'autre côté de la route, et dans le rire de ces enfants. Sans cette lumière, ce que l'on voit est de peu d'importance, car la lumière est tout ; et la lumière de la méditation était sur l'eau. Elle serait là de nouveau le soir, et pendant la nuit, et lorsque le soleil monterait au-dessus des arbres, dorant le fleuve. La méditation est, dans l'esprit, cette lumière qui éclaire le chemin que prendra l'action ; et sans cette lumière il n'y a pas d'amour.

L'homme était grand, rasé de près, et sa tête aussi était rasée. Nous nous assîmes par terre, dans la petite chambre ayant vue sur le fleuve. Le sol était froid, car c'était l'hiver. Il avait la dignité de l'homme qui possède peu et qui n'a pas une crainte excessive de ce que disent les gens.

« Je veux connaître Dieu. Je sais qu'aujourd'hui ce n'est pas à la mode. Les étudiants, les nouvelles générations avec leurs révoltes, leurs activités politiques, leurs exigences raisonnables et déraisonnables, se moquent de toutes les religions. Et ils ont bien raison, car voyez ce que les prêtres en ont fait ! Il est naturel que les jeunes n'en acceptent rien. Pour eux, les temples et les églises représentent l'exploitation de l'homme. Ils ont une méfiance absolue de la notion hiérarchique sacerdotale, avec ses sauveurs, ses cérémonies et toutes ses sottises. Je suis d'accord avec eux. J'ai même aidé quelques-uns d'entre eux à se révolter. Mais j'insiste : je veux connaître Dieu. J'ai été

communiste, mais j'ai quitté le Parti depuis longtemps, car les communistes aussi ont leurs dieux,
leurs dogmes et leurs théoriciens. J'ai été un communiste fervent ; au début ils promettaient quelque
chose — une grande, une vraie Révolution. Mais
maintenant ils sont comme tous les capitalistes : ils se
sont conformés au monde. Je me suis mêlé de
réformes sociales et j'ai eu une certaine activité politique, mais j'ai abandonné tout cela, car je ne vois pas
que l'homme puisse jamais se délivrer de son désespoir, de son angoisse et de sa peur au moyen de la
science et de la technologie. Peut-être n'y a-t-il qu'une
voie. Je ne suis pas du tout superstitieux et je ne
pense pas avoir peur de la vie. J'ai dépassé ces stades
et, ainsi que vous le voyez, j'ai encore beaucoup
d'années devant moi. Je veux savoir ce qu'est Dieu.
J'ai interrogé quelques moines errants et ceux qui,
indéfiniment disent : « Dieu *est* : vous n'avez qu'à
voir », ainsi que ceux qui prennent des airs mystérieux et vous offrent quelque méthode. Je suis las de
tous ces pièges. Me voici donc, car j'ai besoin de
savoir. »

Nous demeurâmes quelque temps en silence. Les
perroquets passaient devant la fenêtre, poussant leurs
cris aigus, et la lumière était sur leurs brillantes ailes
vertes et sur leurs becs rouges.

Pensez-vous pouvoir trouver ce que vous cherchez ?
Pensez-vous y parvenir par la recherche ? Pensez-vous
pouvoir en faire l'expérience ? Pensez-vous que la
mesure de votre esprit puisse rencontrer l'immesurable ? Comment vous y prendrez-vous pour le
savoir ? Comment saurez-vous ? Comment pourrez-
vous reconnaître l'intemporel ?

« Je ne le sais vraiment pas, répondit-il, mais je le
saurai lorsque ce sera réel. »

Vous voulez dire que vous le saurez par votre pensée, par votre cœur, par votre intelligence ?

« Non. La connaissance ne dépend pas de ces
modes de perception. Je connais fort bien le danger
des sens. Je sais combien il est facile de créer des illusions. »

Savoir c'est faire une expérience, n'est-ce pas? L'expérience implique la récognition, laquelle est mémoire et associations. Si ce que vous entendez par « connaître » est le résultat d'un événement passé, d'une mémoire, de quelque chose qui a eu lieu, c'est la connaissance de ce qui s'est déjà produit. Peut-on connaître *ce qui a lieu*, ce qui se produit en ce moment même? Ou ne peut-on le connaître qu'un instant plus tard, lorsque l'événement n'est plus là? Ce qui a lieu, en fait, est en dehors du temps; connaître est toujours dans le temps. On regarde l'événement avec les yeux du temps, et le temps le nomme, le traduit, l'enregistre. C'est cela qu'on appelle savoir, soit qu'on analyse l'expérience, soit qu'on la reconnaisse dans l'instant. Vous voulez ramener à l'intérieur du champ de la connaissance ce qui se trouve de l'autre côté de la colline ou derrière cet arbre. Et vous insistez, vous voulez connaître cet inconnu, en faire l'expérience, et le capter. Pouvez-vous retenir dans votre esprit ou dans vos mains ces eaux galopantes? Ce que l'on conserve c'est le mot, et ce que les yeux ont vu, et cette vision traduite en mots, et la mémoire de ces mots. Mais la mémoire n'est pas l'eau et ne le sera jamais.

« Fort bien, dit-il, mais alors comment parviendrai-je à Dieu? Au cours d'une vie longue et studieuse j'ai compris que rien ne viendra sauver l'homme — aucune institution, aucune structure sociale, rien; j'ai donc cessé de lire. Mais il faut pourtant, que l'homme soit sauvé; il faut qu'il sorte de sa condition d'une façon ou d'une autre et mon urgent appel en vue de trouver Dieu est le cri de ma grande angoisse au sujet de l'homme. La violence qui se répand partout est en voie de le détruire. Je connais tous les arguments pour et contre ces combats. A un certain moment j'ai espéré, mais maintenant je suis vidé de tout espoir. Je suis réellement à bout. Ce n'est ni par désespoir que je vous pose ma question, ni pour obtenir un regain d'espoir. Simplement il m'est impossible de voir la lumière. Je suis donc venu vous poser une seule question : pouvez-vous m'aider à mettre à nu la réalité — si elle existe? »

De nouveau, nous demeurâmes quelque temps en silence. Et le roucoulement des pigeons pénétra dans la chambre.

« Je vois ce que vous voulez dire. Je n'ai jamais été si totalement silencieux. La question est là, hors du silence, je jette un regard sur elle, elle s'éloigne. Vous voulez donc dire que ce n'est qu'en ce silence, en ce silence total, non prémédité, que se trouve l'immesurable ? »

Un autre train ferraillait le long du pont.

Ce que vous dites est une invitation à toute la sottise et à l'hystérie du mysticisme — un sentiment vague et inarticulé qui engendre des illusions. Non, Monsieur, ce n'est pas ce que nous voulons dire. Écarter toutes les illusions — politiques, religieuses, et l'illusion du futur — est un dur travail. Nous ne découvrons jamais rien. Nous croyons le faire, et c'est une des plus grandes illusions : celle de la pensée. C'est un dur travail que de voir clair dans ce chaos, dans cette insanité que l'homme a tissée autour de lui. Il vous faut un esprit très très sain pour voir et pour être libre. La vision et la liberté sont toutes deux absolument nécessaires. Être libéré du désir de voir, être libéré de l'espoir que l'homme accorde toujours à la science, à la technologie ou aux découvertes religieuses. Cet espoir engendre des illusions. Voir cela, c'est être libre, et lorsqu'on est libre, on n'invite pas l'immensurable, car c'est l'esprit qui est devenu l'immensurable.

14

C'était un vieux moine, révéré par des milliers de personnes. Il avait bien entretenu son corps, sa tête était rasée et il portait la robe habituelle, couleur safran, des sannyasis. Il était muni d'un gros bâton qui avait vu de nombreuses saisons et portait des chaussures de plage assez usées. Nous nous assîmes sur un banc placé sur une hauteur ayant vue sur le fleuve. Le pont du chemin de fer était à notre droite, et le fleuve, en bas, à gauche, serpentait en une large courbe. L'autre rive, ce matin-là, était lourde de brume et l'on pouvait tout juste voir le sommet des arbres. C'était comme s'ils flottaient sur un élargissement du fleuve. Il n'y avait pas un souffle et les hirondelles volaient bas, tout près du bord de l'eau. Ce fleuve était ancien et sacré et des gens venaient de très loin pour mourir sur ses berges et pour y être brûlés. Il était l'objet d'un culte, on l'exaltait dans des chants car il était très saint. Toutes sortes d'immondices étaient déversées en lui; les gens s'y baignaient, buvaient de son eau, y lavaient leurs vêtements; on voyait sur les berges des gens en état de méditation, les yeux clos, assis très raides et immobiles. C'était un fleuve qui dispensait abondamment, mais l'homme le polluait. A la saison des pluies, il avait une crue de près de dix mètres, qui emportait toute la saleté et qui couvrait la terre d'un limon fertile grâce auquel les paysans sur ses bords parvenaient à s'alimenter. Ce fleuve dévalait en grandes courbes et l'on voyait parfois flotter à la dérive des arbres entiers, déracinés par le fort courant. On voyait aussi des animaux morts sur lesquels étaient juchés des vautours et des corneilles qui se querellaient et, à l'occasion, un bras ou une jambe, ou même le cadavre entier d'un être humain.

Ce matin-là, un charme émanait du fleuve, il n'avait pas une ride. L'autre rive semblait très lointaine. Le soleil était levé depuis plusieurs heures, le brouillard ne s'était pas encore dissipé et le fleuve, tel un être mystérieux, poursuivait son cours. Le moine le connaissait intimement ; il avait passé de nombreuses années sur ses bords, entouré de ses disciples, et tenait pour acquis que ce fleuve serait toujours là, que tant que des hommes vivraient il vivrait aussi. Il s'était habitué à lui, et c'était grand dommage. Il le regardait maintenant avec des yeux qui l'avaient vu des milliers de fois. On s'habitue à la beauté et à la laideur, et la fraîcheur du jour n'est plus là.

« Pourquoi, dit-il d'une voix assez autoritaire, êtes-vous contre la morale, et contre nos très saintes Écritures ?

« Peut-être avez-vous été gâté par l'Occident où la liberté est licencieuse et où, à quelques exceptions près, on ignore ce qu'est la vraie discipline. Il apparaît avec évidence que vous n'avez lu aucun de nos livres sacrés. J'étais ici l'autre matin, lorsque vous parliez, et j'ai été stupéfait par ce que vous disiez au sujet des dieux, des prêtres, des saints et des gourous. Comment l'homme pourrait-il vivre sans eux ? S'il le faisait, il deviendrait matérialiste, mondain, totalement brutal. Vous semblez dénier toute la connaissance qui pour nous est sacrée. Pourquoi ? Je sais que vous êtes sérieux. Nous vous suivons de loin depuis de nombreuses années. Nous vous avons observé comme on observe un frère. Nous pensions que vous étiez des nôtres. Mais puisque vous avez renié tout ce à quoi nous tenons, vous êtes devenu un étranger pour nous et il est grand dommage que nous soyons maintenant dans des voies différentes. »

Qu'est-ce qui est sacré? Est-ce l'image dans le temple, le symbole, le mot? Où réside le sacré? En cet arbre ou en cette paysanne qui porte un lourd fardeau? Vous introduisez le sacré, n'est-ce pas, dans ce que vous considérez saint, valable, essentiel? Mais de quelle valeur est l'image confectionnée par la main ou par l'esprit? Cette femme, cet arbre, cet oiseau, les choses vivantes, semblent n'avoir pour vous qu'une importance passagère. Vous divisez la vie en ce qui est sacré et ce qui ne l'est pas, en ce qui est immoral et ce qui est moral. Cette division engendre des malheurs et de la violence. Tout est sacré ou rien n'est sacré. Ce que vous dites, vos mots, vos pensées, vos chants sont-ils sérieux, ou sont-ils faits pour séduire les esprits dans une sorte d'enchantement, qui deviendrait une illusion, ce qui ne serait pas du tout sérieux? Le sacré existe, bien sûr, mais il n'est pas dans le mot, dans la statue, dans l'image que la pensée a voulu construire.

Il parut quelque peu intrigué, ne sachant pas où tout cela pouvait le mener, alors il interrompit: « Nous ne sommes pas en train de discuter sur ce qui est ou n'est pas sacré, mais nous voudrions plutôt savoir pourquoi vous critiquez la discipline. »

La discipline, telle qu'elle est comprise généralement, consiste à se conformer à de stupides convictions politiques, sociales ou religieuses. Ce conformisme implique, n'est-ce pas, une imitation, un refoulement, ou une méthode spéciale pour transcender l'état où l'on se trouve. Cette discipline comporte évidemment une lutte continuelle, un conflit qui altère la qualité de l'esprit. On se conforme à cause d'une promesse ou de l'espoir d'une récompense. On se discipline en vue d'obtenir quelque chose. Dans l'espoir d'un résultat, on obéit, on se soumet, et le modèle — communiste, religieux, ou personnel — devient autorité. Il n'y a là absolument aucune liberté. Se discipliner doit signifier apprendre et pour apprendre on doit rejeter toute autorité et toute obéissance. Voir tout cela n'est pas un processus analytique. Voir les conséquences de ce que contient toute la structure de la discipline est une discipline en soi, qui consiste à apprendre tout ce qu'il y a à apprendre au sujet de cette structure. Et il ne s'agit pas d'accumuler des informations mais de voir d'une façon immédiate cette structure et sa nature. Telle est la vraie discipline, vraie parce qu'elle consiste à apprendre, non à se conformer. Pour apprendre on doit être libre.

« Est-ce que cela veut dire, demanda-t-il, que l'on doit faire exactement ce qu'on a envie de faire ? Que l'on fait fi de l'autorité de l'État ? »

Bien sûr que non, Monsieur. Il faut évidemment accepter la loi de l'État ou de l'agent de police, tant que cette loi est en vigueur. On doit conduire d'un certain côté de la route, non en zigzag, car il y aussi d'autres voitures, et l'on doit se conformer au code de la route. Si l'on agissait selon sa propre fantaisie — ce que nous faisons en cachette de toute façon — il y aurait un chaos complet ; et c'est d'ailleurs ce qui se produit. L'homme d'affaires, le politicien et presque chaque être humain poursuit, sous le couvert de la respectabilité ses désirs secrets et ses appétits, et cela provoque un chaos dans le monde. Nous voulons camoufler cet état de choses avec des lois, des sanctions, etc. Cela n'est pas la liberté. A travers le monde, des gens lisent des livres sacrés, modernes ou anciens. Ils en répètent des passages, les mettent dans des chants, les citent indéfiniment, mais en leur cœur ils sont violents, avides et cherchent à exercer leur pouvoir. Ces livres soi-disant sacrés ont-ils une quelconque importance ? Ils n'ont aucun sens réel. Ce qui agit dans le monde c'est le total égoïsme de l'homme, sa perpétuelle violence, sa haine, son inimitié — non les livres, les temples, les églises, les mosquées.

Sous sa robe, le moine est effrayé. Il a ses propres appétits, il brûle de désirs, et sa robe n'est qu'une fuite.

En vue de transcender cette indicible souffrance humaine, nous passons notre temps à nous quereller au sujet de savoir quels livres sont plus sacrés que d'autres. C'est un manque si total de maturité !

« Alors vous devez aussi rejeter la tradition... La rejetez-vous ? »

Reporter le passé sur le présent, traduire le mouvement du présent en termes du passé, c'est détruire la vivante beauté du présent. Ce pays, comme presque tous les pays, est surchargé de traditions, retranché dans les enceintes de ses villages. Il n'y a rien de sacré dans une tradition, ancienne ou moderne. Le cerveau est porteur de la mémoire des temps passés lesquels sont surchargés de traditions, et a peur de tout lâcher, car il ne peut pas faire face au neuf. La tradition devient une sécurité et lorsque l'esprit se sent à l'abri, il se corrompt. On doit entreprendre le voyage sans fardeau, détendu, sans aucun effort, sans jamais s'arrêter à aucun autel, à aucun monument à la mémoire d'aucun héros, laïc ou religieux — on doit être seul, avec la beauté et l'amour.

« Mais nous autres moines, sommes toujours seuls, n'est-ce pas vrai ? demanda-t-il, j'ai renoncé au monde et j'ai fait vœu de pauvreté et de chasteté. »

Vous n'êtes pas seul, Monsieur, car votre vœu même vous lie — ainsi que son vœu lie celui qui se marie. Si vous permettez qu'on vous le signale, vous n'êtes pas seul parce que vous êtes un hindou, de même que vous ne seriez pas seul si vous étiez bouddhiste, musulman, chrétien ou communiste. Vous êtes engagé, et comment un homme serait-il seul lorsqu'il est engagé, lorsqu'il s'est consacré à une idéation qui régit son activité ? Le mot même : « seul » désigne ce qu'il dit : non influencé, innocent, libre et entier, non mis en pièces. Lorsqu'on est seul, on peut vivre dans ce monde, mais on sera toujours au dehors. Cet état est le seul qui puisse donner lieu à une action complète et à une vraie coopération ; car l'amour est toujours entier.

15

Ce matin-là le fleuve était d'argent bruni, car le temps était nuageux et froid. Les feuilles étaient couvertes de poussière, dont une fine couche se répandait partout — dans la chambre, sur la véranda, sur la chaise. Il commençait à faire plus froid, la neige devait être tombée abondamment dans les Himalayas; on pouvait sentir le vent pénétrant venu du nord, même les oiseaux en étaient conscients. Mais le fleuve, ce matin-là, avait un étrange mouvement propre; il n'était pas agité par le vent, il avait l'air d'être presque immobile et de posséder la qualité intemporelle qu'ont toutes les eaux. Comme il était beau! Il n'est pas étonnant qu'on en ait fait un fleuve sacré. Vous pouviez vous asseoir là, sur la véranda et l'observer sans fin, d'une façon méditative. Ce n'était pas un rêve éveillé, vos pensées n'allaient dans aucune direction — elles étaient simplement absentes.

Comme vous observiez la lumière sur le fleuve, vous vous y perdiez en quelque sorte et alors que vous fermiez les yeux, il y avait une pénétration dans un vide que comblait une bénédiction. C'était cela, la félicité.

Il revint un autre matin, accompagné d'un jeune homme. C'était le moine qui avait parlé de discipline, de livres sacrés et de l'autorité de la religion. Son visage était fraîchement lavé, ainsi que ses vêtements.

Le jeune homme paraissait assez nerveux. Il était venu avec le moine, qui était probablement son gourou, et attendait que celui-ci se mette à parler. Il regardait le fleuve, mais ses pensées étaient ailleurs. Le sannyasi dit :

« Je suis revenu, mais cette fois pour parler de l'amour et de la sensualité. Nous, qui avons fait vœu de chasteté, avons nos problèmes à ce sujet. Le vœu n'est qu'un moyen de résister à nos désirs incontrôlés. Je suis un vieillard maintenant, et ces désirs ne me consument plus. Avant de prononcer mes vœux j'étais marié. Ma femme mourut, j'ai quitté la maison et j'ai passé par une période de torture, de désirs physiques intolérables ; je les ai combattus nuit et jour. Ce fut une époque très difficile, de solitude, de frustration, de névrose, où j'ai craint de perdre la raison. Même maintenant je n'ose pas trop y penser. Et ce jeune homme est venu avec moi, car je pense qu'il est en proie aux mêmes problèmes. Il veut abandonner le monde et faire vœu de pauvreté et de chasteté, ainsi que je l'ai fait. Je lui en ai parlé ces quelques dernières semaines et j'ai pensé que cela vaudrait la peine de discuter avec vous de ces problèmes : le problème sexuel et celui de l'amour. Vous voulez bien, j'espère, que nous en parlions très franchement. »

Si nous nous proposons d'examiner cette question, il faut d'abord, si je puis le suggérer, éviter de l'aborder à partir d'une position prise, d'une attitude, ou d'un principe, car cela empêcherait l'exploration. Si vous êtes contre les rapports sexuels, ou si vous maintenez qu'ils sont nécessaires à la vie, qu'ils en font partie, ces préalables, ou toute autre idée préconçue, feraient obstacle à une perception réelle. Nous devrions écarter toute opinion pour être libres de voir, d'examiner nos problèmes.

Quelques gouttes de pluie tombaient maintenant, et les oiseaux étaient devenus silencieux, car il allait pleuvoir abondamment et les feuilles seraient de nouveau fraîches et vertes, pleines de lumière et de couleur. Il y avait une odeur de pluie, et l'étrange calme qui se produit avant qu'un orage éclate sur des terres.

Ainsi, nous avons deux problèmes : l'amour et le sexe. L'un est une idée abstraite, l'autre un intense appel biologique, un fait quotidien, actuel, qu'on ne peut pas nier. Voyons d'abord ce qu'est l'amour, non en tant qu'idée abstraite, mais en réalité. Qu'est-ce que c'est ? N'est-ce qu'une jouissance sensuelle, cultivée par la pensée d'un plaisir, par le souvenir d'une expérience agréable, ou de délices sexuels ? Est-ce la beauté d'un coucher de soleil, ou la feuille délicate que l'on touche et qu'on voit, ou le parfum d'une fleur que l'on hume ? L'amour est-il plaisir ou désir ? Ou n'est-il rien de tout cela ? L'amour peut-il être classé sacré ou profane ? Ou est-ce quelque chose d'indivisible, une totalité qui ne peut être fragmentée par la pensée ? Existe-t-il sans objet ? Ou ne se produit-il seulement qu'à cause de l'objet ? Est-ce parce que vous voyez le visage d'une femme que l'amour surgit en vous — l'amour étant sensation, désir, plaisir, auxquels on donne une continuité ? Ou l'amour est-il un état, en vous, qui répond à la beauté par la tendresse ? L'amour est-il cultivé par la pensée, de sorte que son objet assume de l'importance, ou est-il sans relation aucune avec la pensée, et par conséquent indépendant et libre ? Si l'on ne comprend pas ce mot et la signification qu'il entraîne, on se torture, et les besoins sexuels vous réduisent à une névrose ou à un esclavage.

L'amour ne peut pas être fragmenté par la pensée. Lorsque la pensée le livre en morceaux, dénommés amour impersonnel, personnel, sensuel, spirituel, amour pour mon pays, pour votre pays, pour mon désir, pour le vôtre, il n'y a plus d'amour, c'est quelque chose de tout à fait différent. C'est le produit de certains souvenirs, de certaines propagandes, d'habitudes commodes, etc.

Le désir est-il un produit de la pensée ? L'érotisme, le plaisir, les délices, les rapports intimes, la tendresse qui l'accompagnent, sont-ils des souvenirs renforcés par la pensée ? Dans l'acte sexuel il y a un oubli de soi, un abandon de soi-même, un sentiment que la peur, l'angoisse, les soucis de la vie n'existent pas. Vous souvenant de cet état de tendresse et d'oubli, et désirant sa répétition, vous le ruminez, pour ainsi dire, jusqu'à l'occasion suivante. Est-ce de la tendresse, ou n'est-ce que le souvenir de ce qui n'est plus là, et que vous espérez capturer par une répétition ? La répétition d'une chose même très agréable, n'est-elle pas un processus destructif ?

Le jeune homme, soudain, retrouva sa langue. « Le désir sexuel est un besoin biologique, ainsi que vous l'avez dit vous-même, et si ce besoin est destructif, alors manger ne l'est-il pas aussi, puisque manger est aussi un besoin biologique ? »

Si l'on mange lorsqu'on a faim, c'est une chose. Si l'on a faim et que la pensée dit : « Je dois goûter à tel et tel mets », alors c'est de la pensée, et c'est une répétition destructrice.

« En ce qui concerne le sexe, comment peut-on savoir ce qui est un besoin biologique tel que la faim, et ce qui est un besoin psychologique, tel que la gourmandise ? » demanda le jeune homme.

Pourquoi distinguez-vous le besoin biologique de l'exigence psychologique ? Et il y a encore une autre question, une question tout à fait différente — pourquoi faites-vous une distinction entre la sexualité et voir la beauté d'une montagne ou la grâce d'une fleur ? Pourquoi donnez-vous une énorme importance à l'un et négligez-vous totalement l'autre ?

« Si la sexualité est tout autre chose que l'amour, ainsi que vous avez l'air de le dire, y a-t-il une nécessité à intervenir dans cette affaire ? » demanda le jeune homme.

Nous n'avons jamais dit que la sexualité et l'amour sont deux choses séparées. Nous avons dit que l'amour est un tout, à ne pas mettre en pièces, et que la pensée, de par sa nature-même, est fragmentaire. Lorsque la pensée domine, il est évident qu'il n'y a pas d'amour. L'homme, en général, connaît — et peut-être ne connaît que — le désir sexuel pensé, qui consiste à ruminer le plaisir et sa répétition. Nous devons donc demander : existe-t-il une autre sorte de besoin sexuel, qui ne relève ni de la pensée, ni du désir?

Le sannyasi avait écouté tout ce qui précède avec une tranquille attention. Maintenant il parla :

« J'ai résisté à la sexualité, j'ai prononcé un vœu contre elle parce que, par tradition, par ma raison, j'ai vu qu'on doit avoir de l'énergie pour se dédier à une vie religieuse. Mais je comprends maintenant que cette résistance a absorbé une grande part de mon énergie. J'ai passé plus de temps à résister, et j'y ai gâché plus de force, que je n'en ai jamais dépensé pour le sexe lui-même. Donc ce que vous avez dit — qu'un conflit, quel qu'il soit, est une perte d'énergie — je le comprends maintenant. Les conflits et les luttes sont bien plus traumatisants que la vision d'un visage de femme, ou peut-être, que l'activité sexuelle elle-même. »

Existe-t-il un amour sans désir, sans plaisir? Existe-t-il une activité sexuelle sans désir, sans plaisir? Existe-t-il un amour total, sans l'intrusion de la pensée? L'appel du sexe appartient-il au passé ou est-ce une chose toujours neuve? La pensée est vieille, évidemment, de sorte que nous opposons toujours ce qui est vieux à ce qui est neuf. Nous posons des questions sur la base de ce qui est vieux, et nous voulons des réponses en ces mêmes termes. Ainsi, lorsque nous demandons : Peut-il y avoir une activité sexuelle sans mettre en œuvre et en action tout le mécanisme de la pensée, est-ce que cela ne veut pas dire que nous ne sommes pas sortis de ce qui est vieux? Nous sommes si conditionnés de cette façon que nous ne trouvons pas notre chemin dans ce qui est neuf. Nous avons dit que l'amour est un tout, et toujours neuf — neuf, non pas en opposition à ce qui est vieux, car cela encore serait du vieux. Toute assertion concernant le sexe sans désir est totalement dénuée de valeur, mais si vous avez compris en quoi consiste la pensée, peut-être parviendrez-vous à voir ce que cela veut dire. Si, toutefois, vous exigez votre plaisir à n'importe quel prix, l'amour n'existera pas.

Le jeune homme dit : « Le besoin biologique dont

vous avez parlé est précisément une telle exigence, car bien qu'il soit sans doute différent de la pensée, il engendre la pensée. »

« Peut-être puis-je répondre à mon jeune ami, dit le sannyasi, car j'ai passé par tout cela. Je me suis entraîné pendant des années à ne pas regarder une femme. J'ai brutalement dominé mes exigences biologiques. La pulsion biologique n'engendre pas la pensée ; la pensée la capte, la pensée l'utilise, la pensée forme des images, des tableaux au moyen de cette pulsion, et alors celle-ci devient l'esclave de la pensée. C'est la pensée qui, la plupart du temps, provoque la pulsion. Ainsi que je l'ai dit, je commence à voir la nature extraordinaire de nos illusions et de notre malhonnêteté. Il y a beaucoup d'hypocrisie en nous. Nous ne pouvons jamais voir les choses telles qu'elles sont, mais nous avons besoin de créer des illusions à leur sujet. Ce que vous êtes en train de nous dire, Monsieur, c'est de tout regarder avec des yeux clairs, sans les souvenirs du passé : vous l'avez répété si souvent dans vos discours. Alors la vie n'est plus un problème. A mon âge avancé, je commence à peine à m'en rendre compte. »

Le jeune homme n'avait pas l'air pleinement satisfait. Il voulait que la vie soit selon sa propre conception, selon la formule qu'il avait soigneusement élaborée.

Voilà pourquoi il est si important de se connaître directement, non selon une quelconque formule ou selon un gourou. Cette lucidité constante sans option met fin à toutes les illusions et à toutes les hypocrisies.

Maintenant il pleuvait à torrents, l'air était immobile, et il n'y avait que le bruit de la pluie sur le toit et sur les feuilles.

EN CALIFORNIE

1

La méditation n'est ni l'expérience de quelque chose qui se situe au-delà de la pensée et des sentiments quotidiens, ni la poursuite de visions et de délices. Un petit esprit infantile et malpropre peut avoir des visions d'une expansion de sa conscience, et il en a en effet, qu'il reconnaît selon son propre conditionnement. Cet infantilisme est fort capable d'obtenir des succès dans le siècle, d'acquérir une renommée et une notoriété. Les gourous, ses maîtres, ont les mêmes caractères que lui, et la même mentalité. La méditation n'appartient pas à cette catégorie. Elle n'est pas faite pour le chercheur, car le chercheur trouve ce qu'il désire, et le réconfort qu'il en tire est la morale de son inquiétude.

Quoi qu'il puisse faire, l'homme des croyances et des dogmes ne peut pas entrer dans le champ de la méditation. Pour méditer la liberté est indispensable. Il ne saurait être question de méditer d'abord et de trouver ensuite la liberté. La liberté — le rejet absolu de la morale sociale et de ses valeurs — est le premier mouvement de la méditation. Ce n'est pas une entreprise publique à laquelle on puisse participer en y apportant sa prière. Elle se tient à l'écart, toute seule, toujours au-delà des frontières du comportement social. Car la vérité ne réside pas dans les objets de la pensée, ni dans ce que la pensée a assemblé et qu'elle appelle la vérité. La méditation positive est l'absolue négation de toute la structure de la pensée.

L'Océan était très calme ce matin-là ; il était bleu, presque comme un lac, et le ciel était très clair. Des mouettes et des pélicans volaient à proximité de l'eau, les pélicans effleurant sa surface, avec leurs lourdes ailes, de leur vol lent. Le ciel était très bleu et les collines dans le lointain étaient brûlées par le soleil à l'exception de quelques buissons. Un aigle rouge apparut, émergeant de ces collines. Il vola au-dessus du ravin et disparut parmi les arbres.

La lumière, en cette partie du monde, a une qualité de pénétration et d'éclat qui n'aveugle pas. Il y avait un parfum de sumac, d'oranges et d'eucalyptus. Il n'avait pas plu depuis de nombreux mois et la terre était racornie, sèche, craquelée. On voyait, à l'occasion, des cerfs dans les collines, et une fois on vit, errant sur la hauteur, un ours couvert de poussière et dépenaillé. Sur ce sentier, passaient souvent des serpents à sonnettes et l'on pouvait voir de temps en temps un crapaud à corne. Sur la piste vous ne rencontriez presque personne. C'était une piste poussiéreuse, rocheuse, et son silence était total.

Juste devant vous était une caille avec ses petits. Ils devaient être plus d'une douzaine, immobiles, qui faisaient semblant de ne pas exister. Plus vous grimpiez, plus le site devenait sauvage car il n'y avait pas d'eau, donc pas d'habitations. Il n'y avait aucun oiseau non plus, et presque aucun arbre. Le soleil était très ardent, sa morsure vous pénétrait.

A cette grande altitude, soudain, tout près de vous, un serpent à sonnettes agitant sa queue avec un bruit de crécelle, lança un avertissement. Vous sautiez. Il était là, le serpent à sonnettes, avec sa tête triangulaire, tout enroulé sur lui-même, ses crotales au centre et sa tête pointant vers vous. Vous étiez à un mètre ou deux de lui, et il ne pouvait pas vous atteindre à cette distance. Vous le regardiez fixement et il vous dévisageait en retour, de ses yeux qui ne clignaient pas. Vous l'observiez quelque temps, son adipeuse souplesse, son danger, et il n'y avait là aucune peur. Ensuite, alors que vous le fixiez, voici qu'il déroulait vers vous sa tête et sa queue et qu'il s'éloignait en sens inverse. Tandis que vous vous rapprochiez, il s'enroula encore une fois, sa queue au milieu, prêt à frapper. Vous jouiez quelque temps à ce jeu, puis il se fatigua, vous l'abandonniez et vous redescendiez jusqu'à la mer.

C'était une jolie maison, dont les fenêtres ouvraient sur la pelouse. Elle était blanche à l'intérieur et avait de bonnes proportions. Par les nuits froides on y faisait un feu. C'était merveilleux de le regarder, avec ses milliers de flammes et ses nombreuses ombres. Il n'y avait aucun bruit si ce n'était celui de l'Océan en mouvement perpétuel.

Il y avait, dans la chambre, un groupe de deux ou trois personnes parlant de choses en général — de la jeunesse actuelle, du cinéma, etc. Alors quelqu'un dit : « Pouvons-nous vous poser une question ? » Et il parut fâcheux de déranger la mer bleue et les collines. « Nous voulons vous demander ce que le temps signifie pour vous. Nous savons plus ou moins ce qu'en disent les hommes de science et les auteurs de science-fiction. Il me semble que l'homme a toujours été prisonnier du temps — la série sans fin des hiers et des demains. Depuis les âges les plus reculés jusqu'à nos jours, le problème du temps a occupé l'esprit humain. Les philosophes ont spéculé à son sujet et les religions ont avancé leurs propres explications. Pouvons-nous en parler ? »

Chercherons-nous à examiner cette question profondément ou voulez-vous ne l'aborder que superficiellement et vous en contenter ? Si nous voulons en parler sérieusement, nous devons oublier ce qu'en ont dit les religions, les philosophies, et d'autres autorités — car nous ne pouvons avoir confiance en aucune d'elles. Ce n'est pas par insensibilité, indifférence ou arrogance que nous nous en méfions, mais parce que nous voyons que, pour comprendre un problème, il faut rejeter toute autorité. Si vous êtes disposés à cela, peut-être pourrons-nous aborder votre question très simplement.

103

Le temps existe-t-il sauf dans les horloges? Nous acceptons tant de choses; l'obéissance nous a été tellement instillée, qu'il semble naturel d'accepter ce que l'on dit. Mais existe-t-il un temps à l'exception des nombreux hiers? Le temps est-il une continuité en tant qu'hier, aujourd'hui et demain et sans passé le temps existe-t-il? Qu'est-ce qui donne une continuité aux milliers d'hiers?

Une cause engendre son effet, et l'effet à son tour devient une cause; il n'y a là aucune séparation, c'est un seul mouvement. Ce mouvement, nous l'appelons le temps, et c'est avec ce mouvement que nos yeux et notre cœur voient tout. Nous voyons avec les yeux du temps, nous traduisons le présent en termes du passé, et c'est cette interprétation qui rencontre le demain. Telle est la chaîne du temps.

La pensée, prisonnière de ce processus, pose la question : « Qu'est-ce que le temps? » Cette quête elle-même appartient aux rouages du temps. Elle n'a donc aucun sens, car la pensée *est* le temps. Hier a produit de la pensée de sorte que celle-ci divise l'espace en hier, aujourd'hui et demain. Ou encore, il dit : « Il n'y a que le présent », oubliant que le présent lui-même est produit par « hier ».

Notre conscience est faite de cette chaîne du temps, et de l'intérieur de ses limites, nous demandons : « Qu'est-ce que le temps? Et si le temps n'existe pas, qu'advient-il du hier? » De telles questions sont dans la sphère du temps et il n'y a pas de réponse a une question sur le temps, posée par la pensée.

Ou bien, n'y a-t-il ni demain ni hier, mais seulement le maintenant? Cette question n'est pas posée par la pensée. Elle est posée lorsqu'est vue la nature et la structure du temps, mais avec les yeux de la pensée.

Y a-t-il en toute réalité un demain? Il y en a un, bien sûr, si je dois prendre un train; mais intérieurement y a-t-il un demain de douleur et de plaisir, ou de réussite? Ou n'y a-t-il qu'un maintenant sans lien avec hier? Le temps ne s'arrête que lorsque s'arrête la pensée. C'est au moment de l'arrêt qu'est le maintenant.

Ce maintenant n'est pas une idée, c'est un fait réel, mais seulement lorsqu'a pris fin tout le mécanisme de la pensée. La *sensation* du maintenant est totalement différente du mot, lequel appartient au temps. Ne nous laissons pas prendre par les mots hier, aujourd'hui et demain. La réalisation du maintenant n'existe que dans un état de liberté et la liberté n'est pas le développement de la pensée.

La question se pose alors : « Quelle est l'action du maintenant ? » Nous ne connaissons, en fait d'action, que celle qui est fonction du temps et de la mémoire, et de l'intervalle entre hier et le présent. Dans l'espace de cet intervalle, naissent toutes les confusions et tous les conflits. Ce que nous demandons en réalité est : s'il n'y a absolument aucun intervalle, qu'est-ce que l'action ? La conscience consciente dit : « J'ai fait telle chose spontanément », mais en fait, c'est inexact ; la spontanéité n'existe pas, car la conscience est conditionnée. Seul est actuel le fait. L'actuel est le maintenant, et la pensée incapable de le rencontrer, crée des images à son sujet. L'intervalle entre l'image et ce qui est, est la détresse que la pensée a créée.

Voir ce qui est, sans le hier, est le maintenant. Le maintenant est le silence du passé.

2

La méditation est un mouvement perpétuel. Vous ne pouvez jamais dire que vous êtes en train de méditer, et vous ne pouvez pas réserver un temps pour la méditation. Elle n'est pas à vos ordres. Sa bénédiction ne vous est pas octroyée du fait que votre vie est réglée par un système, une routine ou une morale. Elle ne vient que lorsque votre cœur est réellement ouvert. Non pas ouvert avec la clé de la pensée, ni mis en sécurité par l'intellect, mais lorsqu'il est ouvert comme un ciel sans nuages; alors elle survient à votre insu, sans avoir été invitée. Mais vous ne pouvez jamais la surveiller, la conserver, lui rendre un culte. Si vous essayez de le faire, elle ne reviendra jamais plus; quoi que vous fassiez, elle vous évitera. Ce n'est pas vous qui importez dans la méditation, vous n'y avez aucune place, sa beauté n'est pas en vous, mais en elle-même. Et à cela vous ne pouvez rien ajouter. Ne regardez pas par la fenêtre dans l'espoir de la capter à son insu, ne vous asseyez pas dans une chambre tamisée afin de l'attendre; elle ne vient que lorsque vous n'êtes pas là du tout, et sa félicité n'a pas de continuité.

Les montagnes dévalaient vers la mer bleue, qui s'étendait à l'infini. Les collines étaient presque nues, brûlées par le soleil, on n'y voyait que quelques buissons, et dans leurs replis, des arbres que le soleil ou des feux avaient brûlés, mais qui étaient encore là cependant, florissants et très tranquilles. Il y en avait un, en particulier, un vieux chêne énorme qui semblait dominer toutes les collines environnantes. Et au sommet d'une autre colline, il y avait un arbre mort, calciné par un incendie ; il était là, debout, nu, gris, sans une feuille. Lorsque vous regardiez ces montagnes, leur beauté, et leur silhouette sur le ciel bleu, cet arbre tout seul semblait occuper le ciel. Il avait beaucoup de branches, toutes mortes, et il n'aurait jamais plus de printemps. Pourtant, il était intensément vivant, plein de grâce et de beauté ; vous aviez le sentiment d'en faire partie, d'être seul, sans aucun appui, en dehors du temps. C'était comme s'il s'était mis là pour toujours, tout comme le grand chêne dans la vallée. L'un était vivant, l'autre mort, et l'un et l'autre étaient tout ce qui importait parmi ces collines, qui, brûlées, calcinées par le soleil, attendaient les pluies d'hiver. Vous voyiez la vie entière, y compris la vôtre en ces deux arbres, l'un vivant, l'autre mort. Et l'amour était entre les deux, abrité, invisible, ne demandant rien.

Sous la maison vivait une mère avec ses quatre petits. Le jour de notre arrivée ils étaient sur la véranda : la mère raton avec ses quatre bébés. Ils se montrèrent tout de suite amicaux — avec leurs yeux noirs, aigus, et leurs pattes veloutées — demandant à être nourris, malgré leur apparente nervosité. La mère se tenait à l'écart. Le soir suivant ils furent là de nouveau, prenant des aliments de vos mains, et vous sentiez la douceur de leurs pattes ; ils étaient disposés à s'apprivoiser, à se laisser caresser. Et vous vous émerveilliez de leur beauté et de leurs mouvements. Au bout de quelques jours ils étaient partout, et vous sentiez l'immensité de la vie qui était en eux.

C'était une ravissante journée claire, chaque arbre et chaque buisson se détachaient sur le soleil brillant. L'homme était monté de la vallée jusqu'au haut de la colline où se trouvait la maison. Plus bas, on voyait un ravin et au-delà, toute une rangée de montagnes. Il y avait quelques pins près de la maison, et de hauts bambous. C'était un jeune homme plein d'espoir et la brutalité de la civilisation ne l'avait pas encore atteint. Ce qu'il voulait c'était s'asseoir tranquillement, être silencieux, se laisser conduire vers le silence, non seulement par les collines, mais aussi par l'état de calme réflexion où le mettait sa nécessité intérieure.

« Quel est mon rôle dans le monde ? Quels sont mes rapports avec tout l'ordre existant ? Quel est le sens de ce perpétuel conflit ? J'aime une femme, je couche avec elle. Et pourtant cela n'est pas une fin. Tout cela m'apparaît comme un rêve lointain, qui disparaît et qui revient, palpitant un instant, vide de sens l'instant qui suit. J'ai observé certains de mes amis qui se droguaient. Ils sont devenus stupides, ils se sont abêtis. Peut-être que, moi aussi, même sans drogue, je serai abêti par la routine de ma vie et la souffrance de ma solitude. Je ne compte pour rien, au milieu de tant de millions de personnes. Je prendrai le chemin que les autres ont pris et ne trouverai jamais le joyau incorruptible que nul ne peut vous voler, que rien ne peut ternir. J'ai donc pensé monter jusqu'ici pour parler avec vous, si vous en avez le temps. Je ne vous demande pas de répondre à mes questions. Je suis troublé : bien qu'encore très jeune, je suis découragé. Je vois la vieille génération autour de moi, elle n'a plus d'espoir, elle est amère, cruelle, hypocrite, arrangeante et prudente. Ils n'ont rien à donner, et curieusement je ne désire rien obtenir d'eux. Je ne sais pas ce que je veux, mais je sais qu'il faut que je vive d'une vie riche, pleine de sens. Je ne veux certainement pas trouver un emploi dans un bureau et devenir un personnage dans cette existence informe et dénuée de sens. Il m'arrive de m'exalter en considérant la solitude et la beauté des lointaines étoiles. »

Nous demeurâmes assis quelque temps en silence, le pin et le bambou remuaient sous la brise.

Dans leur vol, l'hirondelle et l'aigle ne laissent pas de traces ; l'homme de science laisse une trace, ainsi que tous les spécialistes. Vous pouvez les suivre pas à pas et ajouter quelques pas à ce qu'ils ont trouvé et accumulé ; et vous pouvez savoir plus ou moins où mène cette accumulation. Mais la vérité n'est pas ainsi ; c'est réellement une terre qui n'a pas de chemins ; elle peut se trouver au prochain tournant de la route ou à des milliers de lieues. Il vous faut continuer à marcher, et vous la trouverez à vos côtés. Mais si vous vous arrêtez et que vous tracez un chemin pour que quelqu'un le suive ou si vous élaborez le programme de l'existence que vous comptez mener, elle ne viendra jamais à vous.

« Est-ce de la poésie, ou parlez-vous d'une réalité ? »

Qu'en pensez-vous ? Pour vous, tout doit être mis en des catégories pratiques, en vue de construire quelque chose que vous puissiez adorer. Vous pouvez apporter un bâton chez vous, le mettre sur une étagère, placer tous les jours une fleur devant lui : au bout de quelques jours le bâton assumera une signification profonde. L'esprit peut accorder un sens à n'importe quoi ; mais ce sens n'a pas de contenu. Lorsqu'on demande quel est le sens de la vie, c'est comme adorer ce bâton. Ce qu'il y a de terrible c'est que l'esprit est toujours en train d'inventer de nouvelles raisons d'agir, de nouvelles explications, de nouvelles jouissances, et qu'il les détruit toujours. Il n'est jamais tranquille. Un esprit riche dans sa tranquillité ne projette rien au-delà de ce qui est. On doit être à la fois l'aigle et l'homme de science, tout en sachant qu'ils ne peuvent jamais se rencontrer. Cela ne veut pas dire qu'ils soient deux entités séparées. Les deux sont nécessaires. Mais lorsque le savant veut devenir l'aigle et lorsque l'aigle laisse une trace de ses pas, il y a de la détresse dans le monde.

Vous êtes très jeune. Ne perdez jamais votre innocence et la vulnéralité qu'elle comporte. C'est le seul trésor que l'homme puisse posséder, et qu'il doive posséder.

« Cette vulnérabilité est-elle le principe et la fin de l'existence ? Est-elle le seul joyau inappréciable que l'on puisse découvrir ? »

Vous ne pouvez pas être vulnérable sans innocence et bien que l'on puisse avoir des milliers d'expériences, des milliers de sourires et de larmes, si l'on ne meurt pas à tout ce qu'on a vécu, comment l'esprit peut-il être innocent? Ce n'est que l'esprit innocent — en dépit de ses milliers d'expériences — qui peut voir ce qu'est la vérité. Et ce n'est que la vérité qui puisse rendre l'esprit vulnérable — c'est-à-dire libre.

« Vous dites que l'on ne peut pas voir la vérité sans être innocent et qu'on ne peut pas être innocent si l'on ne voit pas la vérité. Cela n'est-il pas un cercle vicieux? »

L'innocence ne peut être que dans la mort du passé. Mais nous ne mourons jamais à hier. Nous avons toujours un résidu, un lambeau d'hier qui nous reste accroché et c'est cela qui rive l'esprit au temps. Le temps est donc l'ennemi de l'innocence. On doit mourir tous les jours à tout ce que l'esprit a capturé et à quoi il s'accroche, sans quoi il n'y a pas de liberté. C'est dans la liberté qu'on est vulnérable. Il ne s'agit pas de deux choses qui se produisent l'une après l'autre — c'est un seul mouvement, qui à la fois vient et va. C'est en vérité la plénitude du cœur qui est innocente.

3

Méditer c'est se vider du connu. Le connu est le passé. Il ne s'agit pas de l'éliminer après l'avoir accumulé mais plutôt de ne pas l'accumuler du tout. Ce qui fut ne peut être éliminé que dans le présent, et cela non par la pensée, mais par l'action de ce qui est. Le passé est un mouvement de conclusion en conclusion, auquel s'ajoute le jugement de ce qui est, prononcé par la dernière conclusion. Tout jugement est un règlement, et c'est cette évaluation qui empêche les esprits de se débarrasser du connu ; car le connu est toujours une appréciation, une définition.

Le connu est l'action de la volonté, et la volonté en acte est le prolongement du connu, de sorte que l'action de la volonté ne peut jamais vider l'esprit. On ne peut pas acheter un esprit vide dans les sanctuaires des aspirations ; un tel esprit prend naissance lorsque la pensée devient consciente de ses actes, non lorsque le penseur devient conscient de la façon dont il pense.

La méditation est l'innocence du présent ; elle est donc toujours seule. L'esprit complètement seul, intouchable pour la pensée, cesse d'accumuler. Ainsi l'acte qui vide l'esprit est toujours dans le présent. Pour un esprit solitaire, le futur — qui appartient au passé — disparaît. La méditation est un mouvement, non une conclusion, non une fin à poursuivre.

La forêt était très vaste, avec des pins, des chênes,

des buissons et des séquoias. Un petit ruisseau y coulait le long d'une pente, en murmurant sans arrêt. Il y avait de petits papillons, bleus et jaunes, qui ne trouvant apparemment pas de fleurs où se reposer, s'envolaient vers la vallée. La forêt était très vieille, et les séquoias étaient encore plus vieux. C'étaient des arbres énormes, extrêmement hauts, et il y avait cette atmosphère particulière qui se produit lorsque l'homme, avec ses fusils, ses bavardages et l'étalage de ses connaissances, est absent. Il n'y avait pas de routes dans cette forêt. On devait quitter la voiture à une certaine distance, et marcher le long d'une piste couverte d'aiguilles de pin.

Il y avait un geai qui avertissait tout le monde lorsque l'homme approchait. L'avertissement avait de l'effet, car toute activité animale semblait cesser et l'on avait le sentiment d'une intense surveillance aux aguets. Il était difficile au soleil de pénétrer là-dedans et il y avait une immobilité que l'on pouvait presque toucher.

Deux écureuils rouges, avec leurs longues queues touffues, dégringolèrent d'un pin, et vous entendiez leurs bavardages et leurs griffes sur le bois. Ils se pourchassèrent en un carrousel autour du tronc, en haut et en bas, dans un délire de plaisir et de joie. Il y avait entre eux une tension, l'accord du jeu, du sexe, du divertissement. Ils s'amusaient vraiment. Celui haut perché s'arrêtait brusquement, observait celui du bas, qui était encore en course, puis celui-ci s'arrêtait à son tour et ils se regardaient, avec leurs queues en l'air et leurs nez froncés pointant l'un vers l'autre. Ils se mesuraient de leur regard aigu et enregistraient tout ce qui se passait autour d'eux. Ils avaient grondé l'homme qui les observait, assis sous l'arbre, et l'avaient maintenant oublié; mais ils étaient très conscients l'un de l'autre et l'on pouvait presque éprouver l'extrême joie qu'ils avaient à être ensemble. Leur nid devait être très haut sur cet arbre; bientôt ils se lassèrent, l'un d'eux grimpa, et l'autre, par terre, disparut derrière un autre arbre.

Le geai bleu, attentif, curieux, avait observé à la fois

les écureuils et l'homme assis sous l'arbre. Il s'envola et disparut lui aussi, en appelant à haute voix.

Des nuages montaient et dans une heure ou deux il y aurait probablement un orage.

C'était une psychanalyste diplômée, qui travaillait dans une clinique importante. Elle était jeune, habillée d'une façon très actuelle, sa jupe bien au-dessus du genou; elle semblait sous le coup d'une grande tension et l'on voyait qu'elle était très troublée. A table elle parla beaucoup et sans nécessité, exprimant fortement ce qu'elle pensait et sans jamais, apparemment, regarder par la fenêtre les fleurs, l'effet de la brise sur les feuilles, ou le grand et lourd eucalyptus que balançait le vent. Elle déjeuna sans avoir l'air d'y penser, sans s'intéresser à ce qu'elle mangeait.

Dans la chambre voisine, elle dit : « Nous, analystes, aidons des malades à s'adapter à une société plus malade qu'eux, et parfois, très rarement peut-être, nous y parvenons. Mais en fait, tout succès est l'œuvre de la nature elle-même. J'ai analysé beaucoup de personnes. Je n'aime pas ce que je fais, mais je dois gagner ma vie et il y a tant de malades. Je ne pense pas qu'on puisse vraiment les aider, bien que nous expérimentions tout le temps de nouvelles drogues, des médicaments et des théories. Mais en dehors de mes soins aux malades, je lutte moi-même pour être différente — différente de la moyenne des gens. »

Dans votre lutte pour être différente des autres, n'êtes-vous pas exactement comme eux? Et pourquoi tous ces efforts?

« Si je ne réagissais pas, si je ne luttais pas, je serais comme n'importe quelle ménagère. Je veux être différente, et c'est pour cela que je ne veux pas me marier. Mais je suis dans un état de grande solitude, et c'est ce qui m'a poussée à travailler. »

Et cette solitude vous conduit graduellement au suicide, n'est-ce pas?

Elle acquiesça, presque en larmes.

Tout le mouvement de la conscience ne conduit-il pas à l'isolement, à la peur, à cette lutte incessante pour se modifier? Tout cela fait partie du désir profond que l'on a de s'accomplir, de s'identifier à quelque chose ou même de s'identifier à ce que l'on est. La plupart des analystes ont des maîtres dont ils adoptent les théories ou les méthodes en y introduisant à peine quelques modifications ou adjonctions.

« J'appartiens à la nouvelle école; nous abordons la réalité dans ce qu'elle a d'actuel, sans y introduire de symboles. Nous ne tenons plus compte des anciens maîtres et de leurs symboles, nous voyons l'être humain tel qu'il est. Toutefois cette optique est en voie de devenir une autre école — mais je ne suis pas ici pour une discussion sur les différentes écoles de psychanalyse, leurs théories et leurs maîtres. Je désire parler de moi-même, car je ne sais quoi faire. »

N'êtes-vous pas aussi malade que les patients que vous essayez de soigner? N'êtes-vous pas un élément d'une société plus désorientée et plus malade peut-être que vous-même? Votre quête est donc fondamentale, n'est-ce pas?

Vous êtes le résultat de l'énorme poids du monde, surchargé de sa culture et de ses religions, et ce poids vous entraîne matériellement et intérieurement. Vous devez soit faire la paix avec la société, ce qui veut dire accepter ses maladies et vivre avec, soit la rejeter tout entière et trouver une autre façon de vivre. Mais vous ne pouvez pas trouver un nouveau mode d'existence sans abandonner l'ancien.

Ce que vous voulez en réalité c'est une sécurité, n'est-ce pas? C'est en cela que consistent toutes les quêtes de la pensée : être différent des autres, être plus habile, plus vif, plus ingénieux. En ce processus, ce que vous recherchez, n'est-ce pas, c'est une sécurité profonde. Mais cela existe-t-il? La sécurité est la négation de l'ordre. Il n'y a aucune sécurité dans les relations humaines, dans les croyances, dans l'action, et parce qu'on est à sa recherche, on est une cause de désordre. La sécurité engendre le désordre et lorsqu'on devient conscient de ce désordre qui s'amplifie en soi-même, on veut y mettre fin.

Dans le champ de la conscience à l'intérieur de ses

frontières, étendues ou étroites, la pensée s'efforce tout le temps de trouver un abri sûr. Ainsi la pensée crée du désordre; l'ordre ne s'établit jamais par l'effet de la pensée. C'est le désordre qui doit prendre fin; alors apparaît l'ordre. L'amour n'est pas dans les régions de la pensée. De même que la beauté, il n'est pas à la portée de la brosse du peintre. On doit abandonner la totalité du désordre que l'on a en soi.

Elle devint très silencieuse et se retira en elle-même. Il lui était difficile de contrôler les larmes qui lui coulaient sur les joues.

4

Le sommeil est aussi important que l'état de veille, et peut-être plus. Si pendant la journée l'esprit est attentif, ramassé en lui-même, en train d'observer les mouvements extérieurs et intérieurs de la vie, de nuit la méditation survient comme une bénédiction. L'esprit se réveille et de la profondeur du silence monte l'enchantement de la méditation, qu'aucune imagination, qu'aucun fantasme ne peut jamais produire. Cette méditation vient sans jamais être invitée ; elle surgit de la tranquillité de la conscience, non pas de l'intérieur de la conscience mais du dehors, non à l'intérieur du cercle de la pensée, mais hors de l'atteinte de la pensée. On n'en garde donc aucune mémoire, car un souvenir appartient toujours au passé, et la méditation n'est pas la résurrection d'un passé. Elle se produit par la plénitude du cœur et non par l'éclat et la capacité de l'intelligence. Elle peut se produire nuit après nuit mais chaque fois, si vous êtes ainsi béni, elle est neuve — non pas neuve en tant qu'elle serait différente du connu, mais neuve sans l'arrière-plan du connu, neuve dans sa diversité et dans son invariable variation. Ainsi le sommeil acquiert une importance extraordinaire. Ce n'est pas le sommeil de l'épuisement, ou le sommeil que provoquent les drogues, les satisfactions corporelles, c'est un sommeil aussi léger et aérien que le corps est sensible. Et le corps est sensibilisé par sa propre vigilance. Parfois la méditation est aussi légère qu'une brise qui passe; d'autres fois sa profondeur est au-delà de toute mesure. Mais si l'esprit s'accroche à l'une ou l'autre de ses apparitions et en garde le souvenir afin de s'y complaire, l'extase disparaît. Il est important de ne jamais s'en saisir et de n'avoir pas le désir de s'en emparer. L'action possessive ne doit jamais intervenir dans la méditation, car la méditation n'a ni racines ni aucune substance accessible à l'esprit.

L'autre jour nous remontions la profonde gorge creusée dans l'ombre des montagnes arides qui la bordaient des deux côtés; elle était pleine d'oiseaux, d'insectes, et de la paisible activité de petits animaux. Vous grimpiez de plus en plus haut sur ses pentes douces, jusqu'à une très grande hauteur, et de là vous observiez toutes les collines et les montagnes environnantes, éclairées par le soleil couchant. Elles avaient l'air d'être éclairées par dedans, de façon à ne jamais s'éteindre. Mais pendant que vous l'observiez, la lumière baissait et à l'ouest l'étoile du soir devenait de plus en plus brillante. C'était une belle soirée et, en quelque sorte, vous sentiez que tout l'univers était là, auprès de vous, et une étrange quiétude vous entourait.

Nous n'avons aucune lumière en nous : nous avons la lumière artificielle des autres; la lumière du savoir, la lumière que peuvent émettre le talent et les capacités. Toutes ces lumières-là s'éteignent et deviennent douleur. La lumière de la pensée devient sa propre ombre. Mais la lumière qui ne vacille jamais (ce profond rayonnement intérieur qui ne se trouve pas sur la place du marché) ne peut pas être exposée à autrui. Vous ne pouvez pas la voir, vous ne pouvez pas la cultiver, vous ne pouvez absolument pas l'imaginer ou spéculer à son sujet, car elle est hors de l'atteinte de la conscience.

C'était un moine assez connu, qui avait vécu dans un monastère et aussi dans la solitude, très sincère dans sa recherche.

« Ce que vous dites de la méditation me semble vrai : elle est hors d'atteinte. Cela veut dire, n'est-ce pas, que l'on ne doit ni la rechercher, ni la désirer, ni faire aucun geste en manière d'approche, tel que prendre une posture particulière ou se comporter par rapport à la vie ou envers soi-même d'une façon déterminée. Mais alors que doit-on faire ? A quoi pourraient servir des mots, quels qu'ils soient ? »

Votre recherche émane de votre vide intérieur. Vous quêtez soit pour remplir ce vide, soit pour vous en évader. Ce mouvement vers l'extérieur provenant d'une pauvreté intérieure est conceptuel, spéculatif, dualiste. C'est un conflit, et il est sans fin. Donc, ne quêtez pas ! Cependant l'énergie qui sollicitait vers le dehors se retournerait alors vers le dedans, toujours à la recherche de quelque chose qu'elle appellerait maintenant vie intérieure. Les deux mouvements sont essentiellement identiques. Les deux doivent s'arrêter.

« Nous demandez-vous de nous contenter simplement de ce vide ? »

Certainement pas.

« Alors le vide demeure et une sorte de désespoir s'installe. Le désespoir s'intensifie lorsqu'on n'est même plus autorisé à chercher ! »

Est-ce désespérant de voir que le mouvement vers l'extérieur et le mouvement vers l'intérieur ne signifient rien ? Est-ce se contenter de ce qui est ? Est-ce accepter ce vide ? Si vous voyez que ce n'est rien de tout cela, vous avez rejeté les deux mouvements et il n'est plus question d'accepter le vide. Vous avez nié le mouvement de la conscience mise en face de ce vide. Alors c'est l'esprit lui-même qui est vide, car le mouvement était la conscience elle-même. Lorsque l'esprit s'est retiré de tout mouvement, il n'y a plus d'entité pour le remettre en activité. Laissez-le demeurer vide. Qu'il *soit* vide. L'esprit s'est purgé du passé, du futur et du présent ; il s'est purgé du devenir, et le devenir est le temps. Alors il n'y a plus de temps, il n'y a plus de mesure. Et cela, est-ce un vide ?

« Cet état apparaît et disparaît souvent. Même si ce n'est pas le vide, ce n'est pas l'extase dont vous parlez. »

Oubliez ce qui a été dit. Oubliez aussi cet état intermittent car s'il apparaît et disparaît c'est qu'il appartient au temps, il comporte un observateur qui dit : « Le voilà... il a disparu. » Cet observateur est celui qui mesure, compare, évalue, ce n'est donc pas le vide dont nous parlons.

« Êtes-vous en train de m'anesthésier ? » Et il rit.

Lorsqu'il n'y a ni mesure possible ni temps, existe-t-il une frontière ou un tracé autour d'un vide ? Il n'y a pas quelque chose dont on puisse dire que c'est un vide ou que ce n'est rien. Alors tout est en cela et rien n'est en cela.

Il avait plu assez abondamment cette nuit-là, et maintenant, tôt le matin, alors que vous vous leviez, il y avait un fort parfum de sumac, de sauge et de terre humide. C'était une terre rouge, et la terre rouge semble dégager une odeur plus forte que la terre brune. Le soleil était sur les collines. Elles avaient une couleur extraordinaire de terre de Sienne brûlée, et chaque arbre et chaque buisson scintillaient, lavés, nettoyés par la pluie de la nuit précédente, et tout éclatait de joie. Il n'avait pas plu depuis six ou huit mois, et vous pouvez imaginer combien la terre se réjouissait, et non seulement la terre, mais tout ce qu'elle portait — les arbres énormes, les hauts eucalyptus, les poivriers et les chênes verts. Les oiseaux semblaient chanter autrement, ce matin-là, et comme vous observiez les collines et les lointaines montagnes bleues, vous étiez en quelque sorte perdu en elles. Vous n'existiez pas plus que les personnes qui vous entouraient. Il n'y avait que cette beauté, cette immensité, rien que la terre qui s'étendait et s'élargissait. Ce matin-là les collines qui se prolongeaient lieue après lieue, dégageaient une tranquillité qui rencontrait votre propre calme. C'était comme une fusion de la terre et des cieux et l'extase était une bénédiction.

Ce même soir, comme vous remontiez la gorge vers les collines, la terre rouge était humide sous vos pieds, douce, soumise et pleine de promesses. Vous grimpiez la pente abrupte pendant des kilomètres, puis vous redescendiez brusquement. A un tournant vous rencontriez ce silence total qui déjà se posait sur vous, et comme vous entriez dans la vallée profonde il devenait encore plus pénétrant, plus pressant, plus insistant. Il n'y avait pas de pensée : rien que le silence. Comme vous descendiez il sembla couvrir toute la terre, et c'était surprenant à quel point chaque oiseau et chaque arbre devenaient immobiles. Il n'y avait aucune brise parmi les arbres : avec l'obscurité ils se retiraient dans leur solitude. Ils vous donnaient l'étrange impression de vous accueillir pendant la journée et maintenant avec leurs formes fantastiques, ils étaient distants, comme s'ils s'isolaient, comme s'ils se tenaient à l'écart. Trois chasseurs passèrent par là, avec leurs arcs puissants et leurs flèches, des lampes électriques fixées sur le front. Ils étaient venus pour tuer les oiseaux de nuit et semblaient totalement imperméables à la beauté et au silence qui les entouraient. Ils n'étaient occupés qu'à tuer et tout avait l'air de les observer avec horreur et beaucoup de pitié.

Ce matin-là un groupe de jeunes était venu à la maison : environ une trentaine d'étudiants, de plusieurs universités. Ils avaient grandi dans ce climat et étaient hauts de taille, robustes, bien nourris et enthousiastes. Seuls un ou deux s'assirent sur des chaises. Pour la plupart nous étions par terre, où les filles avec leurs minijupes étaient mal à leur aise. Un des garçons parla, les lèvres tremblantes, la tête penchée.

« Je veux vivre une autre sorte de vie. Je ne veux pas être victime de ces excès sexuels, des drogues, de toute cette cohue. Je veux vivre en dehors du monde et pourtant j'y suis pris. J'ai des rapports sexuels et le lendemain je suis complètement déprimé. Je sais que je veux une vie paisible et de l'amour dans mon cœur, mais je suis déchiré par mes pulsions, par le harcèlement de la société dans laquelle je vis. Je veux suivre mes instincts et pourtant je me rebelle contre eux. Je veux monter sur la montagne et pourtant je ne fais que retomber dans la vallée, car c'est là qu'est ma vie. Je ne sais que faire. Je suis écœuré de tout. Mes parents ne peuvent pas m'aider, pas plus que mes professeurs, avec qui, parfois, j'essaie de discuter de ces questions. Ils sont dans la même confusion et la même détresse que moi, et en fait, davantage, car ils sont bien plus âgés que moi. »

Ce qui est important c'est de ne pas aboutir à une conclusion, ou à une décision concernant la question sexuelle, de ne pas être pris dans le piège intellectuel des idéologies. Examinons tout le tableau de notre existence. Le moine fait vœu de célibat parce qu'il croit que pour gagner le paradis il faut éviter le contact avec les femmes ; mais le restant de sa vie il lutte contre ses exigences physiques ; il est en conflit avec le ciel et la terre et passe tous les jours qui lui restent dans les ténèbres, à la recherche de la lumière. Chacun de nous est victime de cette bataille idéologique, tout comme le moine, brûlant des désirs et essayant de les refouler pour la promesse d'un paradis. Nous avons un corps physique et il a ses désirs. Ils sont avivés et influencés par la société dans laquelle nous vivons, par la publicité, par des filles à moitié nues, par l'accent mis sur les divertissements, les amusements, les distractions et par la morale de la société, la morale de l'ordre social, qui est désordre et immoralité. Nous sommes stimulés physiquement par des aliments de plus en plus abondants et savoureux, par des boissons, par la télévision. Toute l'existence moderne attire l'attention sur le sexe. Vous êtes stimulés de toutes les façons — par des livres, par la parole, et par une société qui permet tout. C'est cela, votre entourage, fermer les yeux ne sert à rien. Il faut avoir une vue d'ensemble de tout ce mode de vie, de ses croyances, de ses divisions absurdes. Il faut comprendre qu'une vie passée dans un bureau ou une usine manque totalement de sens, et que la fin de toute cette confusion est la mort. Il vous faut voir cette confusion très clairement.

Regardez hors de la fenêtre, maintenant, et voyez ces merveilleuses montagnes lavées par la pluie de cette nuit, et cette extraordinaire lumière de Californie, qui n'existe nulle part ailleurs. Voyez la beauté de cette lumière sur ces collines. Vous pouvez humer l'air pur et le renouveau de la terre. Plus vous en serez conscient, plus vous serez sensible à cette immense, à cette incroyable lumière — et à sa beauté — mieux vous communierez avec elle et vos perceptions en seront aiguisées. Cela aussi appartient aux sens, tout comme voir une fille. Réagir à cette montagne avec vos sens et couper ce contact lorsque vous voyez une fille, c'est diviser la vie, et en cette division trouver la douleur et un conflit. Diviser la montagne en deux : d'une part le sommet, de l'autre la vallée, c'est créer une discorde. Mais si ce tiraillement se produit, ne cherchez pas à l'éviter, ou à vous en évader, et ne pensez pas pouvoir le supprimer en vous plongeant dans des plaisirs sexuels ou autres. Il faut le comprendre, ce qui ne veut pas dire végéter ou devenir bovin.

Comprendre ce conflit c'est ne pas s'y enliser, ne pas lui permettre de vous dominer. Cela veut dire ne jamais rien nier, ne jamais s'arrêter à une conclusion, ne jamais s'inféoder à un principe qui déterminerait votre vie. La seule perception de ce tableau qui est ici déployé devant vous est déjà de l'intelligence. C'est cette intelligence qui agira, et non une conclusion, une décision, ou un principe idéologique.

Nos corps ont été insensibilisés, de même que nos esprits et nos cœurs, par notre habitude de nous conformer aux modèles qu'impose la société, laquelle insensibilise les cœurs. Elle nous oblige à participer à des guerres ; elle détruit notre beauté, notre tendresse et notre joie. L'observation de tout ce tableau, non verbale ou intellectuelle, mais réelle, rendra nos corps et nos esprits intensément sensibles. Les corps exigeront les aliments qui leur conviendront, les esprits ne tomberont pas dans le piège des mots, des symboles, ou des platitudes de la pensée. Nous saurons alors comment vivre à la fois dans la vallée et au sommet de la montagne. Entre une région et l'autre, il n'y aura pas de division, pas de contradiction.

EN EUROPE

1

La méditation est un mouvement attentif. L'attention n'est pas un achèvement et n'est pas personnelle. L'élément personnel n'intervient que lorsqu'existe un observateur en tant que centre et qui, de ce centre, réfléchit ou domine. Tout ce à quoi il parvient est fragmentaire et limité : l'attention n'a pas de frontières, pas de ligne de démarcation à franchir ; c'est une clarté purifiée de toute pensée. La pensée ne peut jamais atteindre cette clarté, car elle a ses racines dans le passé mort ; penser est donc une action dans les ténèbres. En être conscient c'est être attentif. Mais cette prise de conscience n'est pas une méthode pour parvenir à l'attention. Ce qu'enseigne une méthode est toujours dans le champ de la pensée et de ce fait, peut être contrôlé ou modifié. C'est donc une inattention. L'attention consiste à s'en rendre compte. La méditation n'est pas un processus intellectuel appartenant au champ de la pensée : elle consiste à se libérer de la pensée en un mouvement extatique de vérité.

Il neigeait ce matin-là. Un vent piquant soufflait et l'agitation des arbres était un appel au printemps. Dans cette lumière, les troncs des grands hêtres et des ormes étaient de ce curieux gris-vert que l'on découvre dans les vieux morceaux de bois mort lorsque la terre est molle et couverte de feuilles d'automne. En se promenant parmi ces arbres, on

129

était conscient de la nature intrinsèque du bois — non pas en tant qu'arbres individuels, chacun ayant sa propre silhouette et ses formes — mais plutôt de la qualité commune à tous les arbres.

Le soleil surgit soudain, dans un vaste ciel bleu vers l'est et un ciel sombre, lourdement chargé à l'ouest. A ce moment-là de lumière solaire, le printemps émergea. En ce paisible silence d'une journée de printemps, vous sentiez la beauté de la terre, l'unité de la terre et de tout ce qu'elle porte. Il n'y avait pas de séparation entre vous et l'arbre, et les étonnantes variations de couleurs lumineuses sur le houx. Vous, l'observateur, n'étiez plus là, de sorte que la division espace-temps avait cessé d'être.

Il dit qu'il avait l'esprit religieux. Il n'adhérait à aucune organisation et ne croyait à aucun dogme, mais il sentait l'appel de la religion. Il avait, bien sûr, passé par toutes les phases de consultations auprès de divers chefs religieux et en était revenu assez désespéré, mais sans cynisme, cependant. Il n'avait toujours pas trouvé la félicité qu'il recherchait. Il avait été professeur dans une université et avait abandonné son poste afin de vivre une vie de méditation et de quête spirituelle.

« Sachez, dit-il, que je suis tout le temps conscient de la fragmentation de la vie. Je ne suis, moi-même, qu'un fragment de cette vie : brisé, isolé, je lutte sans cesse pour devenir le tout, pour faire partie intégralement de cet univers. J'ai essayé de trouver mon identité, car la société moderne détruit toute identité. Je me demande s'il existe un moyen de se dégager de cette division et d'entrer dans ce qui ne peut être ni divisé ni séparé. »

Nous avons divisé la vie en tant que famille et communauté, famille et nation, famille et travail, vie politique et vie religieuse, paix et guerre, ordre et désordre — une incessante division d'opposés. Nous marchons le long de ce couloir, essayant d'établir une harmonie entre l'esprit et le cœur, un équilibre entre l'amour et la convoitise. Nous ne le savons que trop, tout en essayant de trouver un accord d'une sorte entre ces contraires.

Quelle est la cause de ces divisions? Car, de toute évidence elles existent — les contrastes noir et blanc, homme et femme, etc. Quelle est l'origine, l'essence de cette fragmentation? Tant que nous ne l'avons pas trouvée, cette dualité est inévitable. D'après vous, quelle est la racine de cette cause?

« Je peux trouver beaucoup de raisons à cette division qui, apparemment, n'a pas de fin, et décrire toutes les façons dont on a essayé de franchir le fossé des contraires. Intellectuellement, je peux exposer les raisons de cette division, mais cela ne nous mènerait nulle part. J'ai souvent joué à ce jeu, avec moi-même ou avec d'autres. J'ai essayé, par la méditation, par une application de ma volonté, de sentir l'unité de toute chose, d'être un avec le tout — mais c'est une tentative infructueuse. »

La simple découverte de la cause de la séparation ne la résout pas nécessairement. De même on peut connaître la cause de la peur, sans pour autant cesser d'avoir peur. L'exploration intellectuelle ne peut pas agir dans l'immédiat lorsque seule est en œuvre l'acuité de la pensée. La fragmentation moi — non-moi est évidemment la cause première de cette division, bien que le moi essaie de s'identifier au non-moi, qui pourrait être la femme, la famille, la communauté ou la formule « Dieu » élaborée par la pensée. Le moi fait des efforts incessants pour se trouver une identité, mais ce à quoi il s'identifie n'est jamais qu'un concept, une mémoire, une pensée structurée.

Y a-t-il vraiment une dualité? Oui, objectivement, telle que lumière et ombre; mais psychologiquement? Nous acceptons la dualité objective, cela est inhérent à notre conditionnement. Nous ne mettons jamais en doute ce conditionnement. Mais existe-t-il une division psychologique? Seul existe *ce qui est*, non ce qui *devrait* être, lequel n'est qu'une division opérée par la pensée dans son rejet de la réalité (le *ce qui est*) ou dans son désir de la dominer. D'où la lutte entre l'actuel et l'abstraction. L'abstraction est un fantasme, un idéal romantique. L'actuel est *ce qui est*, et tout le reste est irréel. C'est l'irréel, non l'actuel, qui engendre la fragmentation. La douleur est l'actuel; la non-douleur est le plaisir de la pensée qui introduit une division entre la douleur et l'état de non-douleur. La pensée est toujours séparatrice; en elle est la division du temps, l'espace entre l'observateur et la chose observée. Seul existe *ce qui est*, et voir *ce qui est* sans pensée et sans observateur, c'est mettre fin à la fragmentation.

La pensée n'est pas amour, mais en tant que plaisir elle encercle l'amour et introduit la douleur à l'intérieur de sa clôture. En la négation de ce qui n'est pas, *ce qui est* demeure. En la négation de ce qui n'est pas l'amour, émerge l'amour, où cessent le moi et le non-moi.

2

L'épanouissement de la méditation est espace et innocence. Il n'y a pas d'innocence sans espace. L'innocence n'est pas un état infantile : on peut être à la fois physiquement mûr et innocent. Mais le vaste espace qui accompagne l'amour ne peut pas se produire tant que le psychisme n'est pas libéré des nombreuses cicatrices de l'expérience. Ces cicatrices empêchent l'esprit d'être innocent. La méditation consiste à libérer l'esprit de la constante pression de l'expérience.

A l'instant précis où le soleil se couche, un calme étrange se produit et vous avez le sentiment que tout prend fin autour de vous, cependant que l'autobus et le taxi continuent leur course et que le bruit du trafic ne diminue pas. C'est comme si dans tout l'univers chaque chose se retirait en elle-même. Vous avez déjà eu parfois, cette impression. Souvent elle se produit à l'improviste; une étrange paix immobile semble descendre des cieux et recouvrir la terre. C'est une bénédiction et la beauté du soir, grâce à elle, n'a plus de limites. La route luisante après la pluie, les voitures qui stationnent, le parc déserté, en font partie; et le rire du couple qui passe ne trouble en aucune façon la paix du soir.

Les arbres nus, noirs contre le ciel, avec leurs branches délicates, attendaient le printemps qui, juste au tournant du chemin, se hâtait vers eux. Il y avait déjà de la nouvelle herbe et les arbres fruitiers étaient en fleurs. La campagne se ranimait tout doucement et du haut de la colline vous pouviez voir la ville et ses nombreuses, nombreuses coupoles, l'une d'elles plus orgueilleuse et plus haute que toutes les autres. Vous pouviez voir le sommet plat des pins et la lumière du soir sur les nuages qui empilaient au-dessus des collines, par couches successives, leurs formes fantastiques, châteaux tels que les hommes n'en construisirent jamais. On y voyait des gorges profondes et des pics sublimes. Tous ces nuages étaient éclairés d'une lueur rouge sombre et certains d'entre eux semblaient être incandescents, non par le soleil mais en eux-mêmes.

Ces nuages ne constituaient pas l'espace, ils étaient inclus en lui qui semblait s'étendre à l'infini, d'éternité en éternité.

Un merle chantait dans un buisson voisin, et ce fut une pérennité de bénédiction.

Ils étaient trois ou quatre, venus avec leurs femmes, et nous nous assîmes par terre. A ce niveau les fenêtres étaient trop hautes pour que l'on puisse voir le jardin ou le mur d'en face. Ils exerçaient tous des professions libérales. L'un déclara être un scientifique, un autre un mathématicien, un autre un ingénieur; c'étaient des spécialistes qui ne débordaient pas au-delà de leurs limites — ainsi que le fait un fleuve après de grosses pluies. C'est le débordement qui enrichit le sol.

L'ingénieur demanda : « Vous avez souvent parlé d'espace et cela nous intéresse de savoir ce que vous entendez par ce mot. Un pont se situe dans l'espace qui sépare deux rives ou deux collines. L'espace est formé par un barrage rempli d'eau. Il y a un espace entre nous et l'univers en expansion. Il y a un espace entre vous et moi. Est-ce cela que vous voulez dire ? »

Les autres appuyèrent la question. Ils devaient en avoir parlé avant de venir. L'un dit : « Je pourrais exprimer cela autrement, en termes plus scientifiques, mais cela reviendrait à peu près au même. »

Il y a l'espace qui divise et enclôt et il y a un espace illimité. L'espace entre un homme et un homme, en lequel germe la discorde, est l'espace limité des divisions. Il y a une division entre vous, tels que vous êtes, et l'image que vous vous faites de vous-mêmes. Il y a une division entre vous et vos femmes. Il y a une division entre ce que vous êtes et ce que vous croyez devoir être idéalement. Il y a l'intervalle entre colline et colline. Il y a la beauté d'un espace qui n'a pas de limites de temps, qui n'a pas de lignes de démarcation.

Existe-t-il un espace entre pensée et pensée ? Entre des souvenirs ? Entre une action et l'autre ? Ou n'existe-t-il aucun espace entre pensée et pensée ? Entre raison et raison ? Entre une bonne et une mauvaise santé — une cause devenant l'effet et l'effet devenant la cause ?

S'il y avait une solution de continuité entre pensée et pensée, la pensée serait toujours neuve, mais parce qu'il n'y a pas d'interruptions, pas d'espaces, toute pensée est vieille. Peut-être ne vous rendez-vous pas compte qu'une pensée se prolonge ; vous pouvez la reprendre une semaine après l'avoir laissée de côté, mais pendant ce temps elle n'avait pas cessé d'être active à l'intérieur de ses anciennes limites.

Ainsi, l'ensemble de la conscience — comprenant le conscient et l'inconscient (un mot malheureux que nous sommes obligés d'employer) est inclus dans l'espace limité, étroit, d'une tradition, d'une culture, de coutumes, de souvenirs. La technologie peut vous conduire jusqu'à la lune et vous pouvez construire un pont en courbe au-dessus d'un ravin. Vous pouvez aussi introduire un peu d'ordre dans l'espace limité d'une société, mais cela encore engendrera du désordre.

L'espace n'existe pas seulement au-delà des quatre murs de cette chambre ; il y a aussi l'espace que délimite la pièce. Il y a un espace qui enclôt la sphère que l'observateur crée autour de lui-même, et de l'intérieur de laquelle il regarde l'objet observé — lequel aussi crée une sphère autour de lui-même.

Lorsque l'observateur, la nuit, contemple les étoiles son espace est limité. Il peut, au moyen d'un télescope, voir à des milliers d'années-lumière mais il est l'artisan de cet espace, lequel est, par conséquent limité. La mesure entre l'observateur et l'observé est à la fois l'espace et le temps qu'il faut pour le parcourir.

Il n'y a pas que l'espace physique. Il y a une dimension psychologique où s'abrite la pensée en termes d'hier, d'aujourd'hui, de demain. Tant qu'existe un observateur, l'espace est la cour étroite d'une prison, où n'existe aucune liberté.

« Mais nous voudrions vous demander si c'est un espace sans observateur que vous essayez de décrire. Cela semble absolument impossible, ou peut-être n'est-ce que de l'imagination de votre part. »

La liberté, Monsieur, n'est pas à l'intérieur de la prison, quels que soient son confort et ses décorations. Si l'on entreprend un dialogue avec la liberté, cela ne peut pas se passer à l'intérieur des territoires de la mémoire, de la connaissance, de l'expérience. La liberté veut que vous démolissiez les murs de la prison malgré le plaisir que peuvent vous donner un désordre limité, un esclavage limité, le labeur dans la servitude.

La liberté n'est pas relative ; elle est ou elle n'est pas. Si elle n'est pas en vous, vous devez accepter une vie étroite, limitée, avec ses conflits, ses douleurs, ses souffrances et vous contenter d'y introduire ici et là quelques petites modifications.

La liberté est l'espace infini. Le manque d'espace engendre la violence, celle du déprédateur ou de l'oiseau qui revendique son espace, son territoire pour lequel il combat. Cette violence peut être relative du fait de la législation et de la police, de même que l'espace limité qu'exigent ces déprédateurs et ces oiseaux, et pour lequel ils se battent, n'appelle qu'une violence limitée. Un espace trop restreint entre l'homme et l'homme engendre nécessairement l'agressivité.

« Êtes-vous en train de nous dire, Monsieur, que l'homme sera toujours en conflit avec lui-même et avec le monde, tant qu'il vivra dans une sphère créée par lui ? »

Oui, Monsieur. Nous arrivons donc à la racine du problème de la liberté. Dans la culture étroite de la société il n'y a pas de liberté, et à cause de cela il y a du désordre. Vivant au sein de ce désordre, l'homme cherche sa liberté dans des idéologies, dans des théories, dans ce qu'il appelle Dieu. Ces évasions ne le libèrent pas. Elles constituent — nous y revoici — la cour de la prison, qui sépare l'homme de l'homme. La pensée qui s'est elle-même conditionnée de la sorte peut-elle parvenir à sa propre fin, briser cette structure et se transcender elle-même ? Évidemment pas. C'est le premier point à élucider. L'intellect ne peut absolument pas construire un pont entre lui-même et la liberté. La pensée, qui est une réaction de la mémoire, de l'expérience et du savoir, est toujours vieille, ainsi que l'est l'intellect, et ce qui est vieux ne peut pas construire un pont vers ce qui est neuf. La pensée est essentiellement l'observateur avec ses préjugés, ses peurs et ses angoisses et parce qu'il est isolé, cette pensée-image l'entoure d'une sphère. Ainsi se produit une distance entre l'observateur et l'observé. L'observateur essaie de définir cette distance afin de l'établir et il en résulte un conflit et de la violence.

Il n'y a rien de fantaisiste dans cette description. L'imagination, sous n'importe quelle forme, détruit la vérité. La liberté est au-delà de la pensée ; elle est un espace infini non créé par l'observateur. Rencontrer cette liberté c'est méditer.

Il n'y a pas d'espace sans silence et le silence ne peut pas être construit par le temps, c'est-à-dire par la pensée. Le temps ne conférera jamais la liberté ; l'ordre n'est possible que lorsque le cœur n'est pas submergé par des mots.

3

Un esprit méditatif est silencieux. Ce n'est pas un silence que la pensée puisse concevoir; ce n'est pas le silence d'un soir tranquille; c'est le silence total qui se produit lorsque s'arrête la pensée, avec toutes ses images, ses mots, ses perceptions. Cet esprit méditatif est l'esprit religieux — celui dont la religion n'est pas atteinte par les églises, les temples et leurs chants.

L'esprit religieux est l'explosion de l'amour. Cet amour-là ne connaît pas de séparation. Pour lui, le lointain est tout près. En lui il n'y a ni l'individu ni le nombre mais plutôt un état dans lequel il n'y a pas de vision. De même que la beauté, il n'appartient pas au monde mesurable des mots. L'esprit méditatif ne puise son action qu'en ce silence.

Il avait plu la veille et le soir le ciel avait été très nuageux. Au loin, les collines étaient couvertes de jolis nuages lumineux qui changeaient de forme pendant que vous les observiez.

Le soleil couchant, avec sa lumière dorée, ne frappait qu'un ou deux amoncellements de nuages, qui semblaient aussi solides que les sombres cyprès. Comme vous les regardiez, vous deveniez tout naturellement silencieux. Le vaste espace et l'arbre solitaire sur la colline, la coupole lointaine et le bavardage qui vous entourait — tout faisait partie de ce silence. Vous saviez que le lendemain matin il ferait un temps délicieux, parce que le coucher de soleil était rouge. Et il était ravissant. Il n'y avait plus un seul nuage et le ciel était très bleu. Les fleurs jaunes, l'arbre couvert de fleurs blanches contre la haie sombre des cyprès et un parfum de printemps remplissaient les terres. La rosée était sur l'herbe et, tout doucement le printemps émergeait des ténèbres.

Il dit qu'il venait de perdre son fils, lequel avait eu un excellent emploi et serait devenu un des directeurs d'une société importante. Il était encore sous le choc de son malheur, mais il avait une grande emprise sur lui-même. Il n'était pas de ceux qui pleurent — les larmes ne lui venaient pas facilement. Il avait été entraîné toute sa vie à travailler assidûment à des problèmes matériels, relevant d'une technologie concrète. Ce n'était pas un imaginatif et les subtils et complexes problèmes psychologiques de la vie l'avaient à peine effleuré.

Il n'admettait pas la mort récente de son fils en tant que choc. Il dit : « C'est un triste événement. »

Pour sa femme et ses enfants, cette tristesse était affreuse. « Comment leur expliquer la fin de la douleur, dont vous avez parlé ? En ce qui me concerne, je l'ai étudiée et peut-être puis-je la comprendre, mais que peuvent faire ceux qui y sont plongés ? »

La douleur est en chaque maison, à chaque coin de rue. Tout être humain connaît cette grande détresse, due à tant d'incidents et d'accidents. La douleur est comme une vague sans fin qui déferle sur l'homme jusqu'à presque le noyer, et la pitié qu'elle provoque engendre l'amertume et le cynisme.

Cette douleur est-elle pour votre fils, ou pour vous-même, ou pour la disparition de votre prolongement en votre fils ? Est-ce la douleur de vous prendre en pitié ? Ou une douleur parce que ce fils promettait tellement, du point de vue du monde ?

S'il s'agit d'une commisération que l'on éprouve pour soi-même, ce sentiment égocentrique, ce facteur d'isolement dans la vie (qui existe malgré une apparence de relations) doit inévitablement être une cause de douleur. Ce processus d'isolement, cette active préoccupation de soi-même dans la vie quotidienne, cette ambition, cette insistance sur l'importance que l'on se donne, cette façon de vivre en se séparant des autres, que l'on en soit conscient ou non, doit plonger dans une solitude dont on essaie de s'évader par différents moyens. La compassion que l'on éprouve pour soi-même est la souffrance de la solitude et c'est cette souffrance qu'on appelle la douleur.

Il y a aussi la douleur de l'ignorance — non de l'ignorance due à un manque de lectures, de connaissances techniques, d'expérience, mais de celle que nous avons acceptée en tant que durée, en tant qu'évolution de *ce qui est vers ce qui devrait être*, en tant qu'acceptation de l'autorité et de sa violence; c'est l'ignorance inhérente au conformisme avec ses dangers et ses angoisses, l'ignorance qui consiste à ne pas connaître toute la structure de soi-même. Telle est la douleur que l'homme a répandue partout où il a été.

Nous devons donc être clairs sur ce que nous appelons douleur — la douleur étant le chagrin, la perte de quelque chose qui nous était précieux, l'angoisse de l'incertitude ou la constante recherche d'une sécurité. Dans laquelle de ces douleurs êtes-vous plongé? Tant que cela ne sera pas clair il n'y aura pas de fin à la douleur.

Cette clarté ne se trouve pas dans une explication verbale, elle ne peut pas se produire par une habile analyse intellectuelle. Vous devez être aussi conscient de ce qu'est votre souffrance, que vous l'êtes, sensoriellement, lorsque vous touchez cette fleur.

Si vous ne comprenez pas tout le processus de la douleur, comment pouvez-vous y mettre fin? Vous pouvez la fuir en allant au temple ou à l'église, ou en vous adonnant à la boisson — mais toutes les évasions, qu'elles soient Dieu ou le sexe, sont identiques, car elles ne résolvent pas la douleur.

Vous devez donc dresser la carte de la douleur, en tracer chaque chemin, chaque route. Si vous permettez au temps de recouvrir cette carte, le temps intensifiera la brutalité de la douleur. Il vous faut voir la carte entière d'un seul coup d'œil — voir d'abord l'ensemble et ensuite les détails, non inversement. Lorsqu'on met fin à la douleur, le temps aussi prend fin.

La pensée ne peut pas faire cesser la douleur. Lorsque le temps s'arrête, la pensée en tant que chemin de la douleur s'arrête aussi. C'est la pensée et le temps qui divisent et séparent, et l'amour n'est ni pensée ni temporalité.

Ne voyez pas la carte de la douleur avec les yeux de la mémoire. Écoutez tout ce qu'elle murmure; soyez en elle, car vous êtes à la fois l'observateur et l'observé. Alors la douleur prendra fin. Il n'y a pas d'autre voie.

4

La méditation n'est jamais une prière. Les prières, les supplications, sont dictées par la commisération que l'on a pour soi-même. On prie lorsqu'on est en difficulté, lorsqu'on souffre. Mais lorsqu'on est heureux, joyeux, on ne supplie pas. Cette compassion envers soi-même, si profondément enfouie dans l'homme est la racine de son isolement. Se séparer des autres, ou se penser isolé, aller perpétuellement à la recherche d'une identification avec une totalité, c'est amplifier la division et la douleur. Du fond de cette confusion, on invoque le ciel, ou un conjoint, ou une divinité inventée. Cet appel peut attirer une réponse, mais cette réponse est l'écho, dans sa solitude, de la compassion que l'on a pour soi-même.

La répétition de mots, de prières, vous met dans un état d'auto-hypnose, vous enferme en vous-même, vous détruit. L'isolement de la pensée est toujours dans le champ du connu, et la réponse à la prière est la réponse du connu.

La méditation est fort éloignée de tout cela. La pensée ne peut pas pénétrer dans son champ qui ne comporte pas de séparation, donc pas d'identité. La méditation est à ciel ouvert, les secrets n'y ont aucune place. Tout y est exposé, tout y est clair; alors la beauté de l'amour *est*.

C'était le début d'une matinée de printemps, avec

quelques nuages floconneux, venant de l'ouest, qui se déplaçaient doucement dans le ciel bleu. Un coq commença à chanter, et il était étrange de l'entendre dans une ville populeuse. Il commençait tôt et pendant près de deux heures persistait à annoncer l'arrivée du jour. Les arbres étaient encore dénudés, mais quelques feuilles, fines et délicates, se détachaient sur le clair ciel matinal.

Si vous vous teniez très tranquille, sans une seule pensée dans votre esprit, vous pouviez tout juste entendre le son grave d'une cloche de cathédrale. Cette cloche devait être très lointaine et dans les courts silences du chant du coq vous pouviez entendre ses ondes sonores venir vers vous et s'en aller au-delà de vous; vous les chevauchiez presque, vous alliez au loin, vous disparaissiez dans les immensités. Le chant du coq et la sonorité profonde de la cloche lointaine avaient sur vous un effet étrange. Les bruits de la ville n'avaient pas encore commencé. Il n'y avait rien pour interrompre cette clarté sonore. Ce n'était pas avec les oreilles que vous l'entendiez, mais avec le cœur; ce n'était pas avec une pensée qui connaissait « la cloche » et « le coq » : c'était un son pur. Il provenait du silence et votre cœur le saisissait et allait avec lui d'éternité en éternité. Ce n'était pas un son organisé comme l'est une musique; ce n'était pas le son d'un silence entre deux notes; ce n'était pas le son que l'on entend lorsqu'on a cessé de parler. Ces sons-là sont enregistrés par l'esprit ou par l'oreille. Ce qu'on entend avec le cœur remplit le monde et alors les yeux voient clairement.

C'était une dame très jeune, d'aspect soigné, aux cheveux coupés courts et on la sentait fort capable de prendre les choses en main. D'après ce qu'elle disait elle n'avait aucune illusion sur elle-même. Elle avait des enfants et une vue assez sérieuse de l'existence. Peut-être y avait-il en elle un peu du romantisme de la jeunesse, mais pour elle l'Orient avait perdu (et c'était tant mieux) son auréole de mysticisme. Elle parlait simplement et sans hésitation.

« Je crois m'être suicidée il y a bien longtemps, lorsqu'un certain événement s'est produit dans ma vie ; ma vie a cessé avec cet événement. Bien sûr, j'ai continué à me comporter comme par le passé auprès de mes enfants et en tout ce qui concerne la vie quotidienne. Mais j'ai cessé de vivre. »

Ne pensez-vous pas que la plupart des personnes, le sachant ou ne le sachant pas, se suicident constamment ? La forme extrême de cet acte consiste à se jeter par la fenêtre. Mais il débute probablement, avec la première résistance et la première frustration. Nous construisons un mur autour de nous, derrière lequel nous menons notre vie isolée, bien que nous puissions avoir des maris, des femmes, des enfants. Cette vie en réclusion est une vie de suicide, et c'est en cela que consiste la morale des religions et des sociétés. Les actes qui séparent sont une chaîne continue qui conduit aux guerres et à la destruction de l'individu. La ségrégation est un suicide, aussi bien dans le cas d'un individu, que dans celui d'une communauté ou d'une nation. Chacun, dans sa vie, veut affirmer sa propre identité, son activité égocentrique ou un morne conformisme qui s'enferme en lui-même. Mais se laisser conduire par une croyance et par des dogmes est un acte de suicide. Avant l'événement que vous évoquez, vous aviez tout misé sur « l'unique » contre ce qui n'était pas lui : votre vie et ce qui l'animait intérieurement. Mais lorsque l'unique est mort ou que le dieu a été détruit, votre vie s'en est allée avec lui et il ne vous est resté aucune raison de vivre. Vous pouvez, si vous êtes très habile, inventer une explication de l'existence — ce que les experts ont toujours fait — mais vous vouer à cette explication serait encore vous suicider. Tout engagement qui limite la liberté d'action est une destruction de soi-même, que ce soit au nom de Dieu, au nom du socialisme ou au nom de tout autre chose.

Vous, Madame — et ceci n'est pas dit par cruauté —, avez cessé d'exister parce que vous n'avez pas pu obtenir ce que vous désiriez ; ou parce que cela vous a été retiré ; ou parce que vous vouliez passer par une certaine porte bien définie, qui était verrouillée. De même que vous vous enfermez en vous-même par la douleur et le plaisir, une acceptation ou un refus obstiné engendrent leurs propres ténèbres qui vous isolent. Nous ne vivons pas, nous ne faisons que nous suicider. Vivre commence lorsque l'acte du suicide n'est plus commis.

« Je comprends ce que vous voulez dire et je vois ce que j'ai fait. Mais, maintenant, qu'y puis-je ? Comment revenir de ces longues années de mort ? »

Vous ne pouvez pas revenir. Si vous reveniez, vous reviendriez à l'ancien conformisme et la douleur vous poursuivrait à la façon dont un nuage est poussé par le vent. La seule chose que vous puissiez faire c'est voir que mener sa propre vie en solitude, en secret, et désirer une continuité de plaisir — c'est inviter cette mort qu'est l'isolement. En l'isolement il n'y a pas d'amour. L'amour n'a pas d'identité. Le plaisir, et sa recherche construisent les murs qui vous enferment et vous séparent de tout ce qui n'est pas vous-même. Lorsqu'aucun engagement ne limite plus votre liberté, la mort n'est plus. La connaissance de soi est la porte ouverte.

5

La méditation est la fin du langage. Le silence ne peut pas être provoqué par la parole, le mot étant la pensée. L'action engendrée par le silence est totalement différente de celle que provoque le mot. La méditation consiste à libérer l'esprit de tout symbole, de toute image, de tout savoir.

Ce matin-là les hauts peupliers, avec leurs récentes feuilles claires, jouaient sous la brise. C'était un matin de printemps et les collines étaient recouvertes d'amandiers, de cerisiers, de pommiers en fleurs. La terre entière paraissait être intensément vivante. Les cyprès étaient majestueux dans leur attitude réservée, mais les arbres fleuris se touchaient branche à branche et les rangées de peupliers projetaient des ombres dansantes. Auprès de la route coulait de l'eau qui plus tard deviendrait celle de la rivière.

Il y avait un parfum dans l'air et chaque colline était différente de toutes les autres. Sur certaines d'entre elles étaient des maisons entourées d'oliviers. Des rangs de cyprès marquaient leurs chemins d'accès. La route serpentait sur ces douces collines.

C'était une matinée étincelante, d'une intense beauté, et la puissante auto y avait sa place. Un ordre extraordinaire semblait régner, mais il y avait évidemment du désordre dans chaque maison, l'homme complotant contre l'homme, des enfants qui criaient ou riaient... Toutes les misères s'allongeaient invisibles, de maison en maison. Le printemps, l'automne, l'hiver n'interrompaient jamais leur chaîne.

Mais ce matin-là il y avait un renouveau. Ces tendres feuilles n'avaient jamais connu l'hiver, ni l'automne qui viendrait; elles étaient vulnérables, donc innocentes.

De la fenêtre on pouvait voir la vieille coupole de la cathédrale zébrée de marbres, et le campanile multicolore. A l'intérieur de l'édifice étaient les sombres symboles de la douleur et de l'espérance. Cette matinée était vraiment belle, mais curieusement on ne voyait que peu d'oiseaux car ici on les tuait par sport et leur chant était réduit au silence.

C'était un artiste, un peintre. Il dit qu'il était doué pour son art, comme d'autres pour construire des ponts. Il avait des cheveux longs, des mains délicates, et était enfermé dans le rêve de son talent. Il lui arrivait d'en sortir, de parler, de s'expliquer, puis de rentrer dans sa coquille. Il dit que ses peintures se vendaient et qu'il avait eu plusieurs expositions individuelles. Il en était assez fier, et le ton de sa voix le disait.

Il y a l'armée, avec ses propres murailles qui protègent ses intérêts; et l'homme d'affaires enfermé dans du cristal et de l'acier; et il y a la ménagère qui vaque aux soins de la maison, en attendant son mari et ses enfants. Il y a le gardien de musée, le chef d'orchestre, qui vivent, chacun à l'intérieur d'un fragment de vie, et chaque fragment devient extraordinairement important, n'a aucun lien avec les autres fragments, les contredit, a son propre honneur, sa dignité sociale, ses prophètes. Le fragment religieux n'a pas de lien avec celui de l'usine et celui-ci n'en a pas avec l'artiste; le général est séparé des soldats, le laïc du clerc. La société est brisée en morceaux que l'homme de bonne volonté et le réformateur essaient de recoller. Mais à travers ces débris isolés, spécialisés, l'être humain poursuit ses occupations avec l'angoisse, l'appréhension et le sentiment de culpabilité qui sont nos véritables liens communs, en dehors de nos spécialisations.

C'est en cette commune avidité, en cette haine, en cette agressivité que sont reliés les êtres humains, et cette violence bâtit la culture, la société où nous vivons. Ce sont les esprits et les cœurs qui divisent — il y a Dieu et la haine, l'amour et la violence, et en cette dualité toute la culture humaine se développe et se résout.

L'unité des hommes ne réside dans aucune des structures que l'esprit humain a inventées. Coopérer n'est pas dans la nature de l'intellect. Il ne peut y avoir aucune unité entre l'amour et la haine et pourtant c'est ce que la pensée humaine essaie de trouver et d'établir. L'unité est totalement en dehors de cette sphère, et la pensée ne peut pas l'atteindre.

La pensée a construit cette culture d'agression, de compétition et de guerre. Et pourtant c'est cette pensée même qui tâtonne pour trouver l'ordre et la paix. Mais quoi qu'elle puisse faire, elle ne trouvera jamais ni ordre ni paix. La pensée doit se taire pour que l'amour soit.

6

L'esprit se libérant du connu; c'est cela, la méditation. La prière va du connu au connu. Il peut arriver qu'elle produise des résultats; mais ils ne sont encore que dans le champ du connu, et le connu est le conflit, la misère, la confusion. La méditation est le rejet total de tout ce que l'esprit a accumulé. Le connu est l'observateur, et l'observateur ne peut voir que le connu. L'image est du domaine du passé et la méditation met un terme au passé.

C'était une chambre assez spacieuse, de laquelle on voyait un jardin avec beaucoup de cyprès taillés en haie, et au-delà un monastère au toit rouge. Tôt le matin, avant que le soleil se lève, il y avait là une lumière et vous pouviez voir les moines aller et venir. C'était une matinée très froide. Le vent soufflait du nord et le grand eucalyptus — qui dominait tous les autres arbres, ainsi que les maisons — se balançait au vent, bien malgré lui. Il aimait les brises venant de la mer, car elles n'étaient pas trop violentes, et il prenait grand plaisir à la douce ondulation de sa propre beauté. Il était là tôt le matin, et il était là lorsque le soleil se couchait, captant la lumière du soir et en quelque sorte exprimant la certitude de la nature. Il donnait de l'assurance à tous les arbres, aux buissons et aux petites plantes. Ce devait être un très vieil arbre. Mais les hommes ne le regardaient pas. Ils le couperaient s'il le fallait, pour construire une maison et personne n'en ressentirait la perte, car dans ce pays les arbres ne sont pas respectés et la nature occupe fort peu de place, sauf peut-être en tant que décoration. Les villas magnifiques avaient dans leurs jardins des arbres qui mettaient en valeur les courbes gracieuses de leur architecture. Mais cet eucalyptus ne décorait aucune habitation. Il était là tout seul, splendidement tranquille, plein d'un mouvement silencieux, et le monastère avec son jardin, et la chambre avec son vert espace clos, étaient dans son ombre. Il était là, une année après l'autre, et vivait dans sa dignité propre.

Plusieurs personnes étaient dans la chambre, venues dans le but de poursuivre une conversation qui avait commencé quelques jours auparavant. C'étaient surtout des jeunes ; il y avait là des cheveux longs, des barbes, des pantalons très étroits, des jupes très courtes, des lèvres peintes, de hautes coiffures.

La conversation commença sur un ton léger ; ils n'étaient pas très sûrs d'eux-mêmes et ne savaient pas où l'entretien les conduirait. « Bien sûr, nous ne pouvons pas accepter l'ordre établi, dit l'un d'eux, mais nous en sommes prisonniers. Quels sont nos rapports avec la vieille génération et avec tout son univers ? »

La simple révolte n'est pas une réponse, n'est-ce pas ? La révolte est une réaction dont l'effet est de se conditionner elle-même à son tour. Chaque génération est conditionnée par celle qui la précède, et se contenter de se rebeller ne libère pas l'esprit qui a été assujetti. L'obéissance sous toutes ses formes est aussi une résistance, qui provoque des brutalités — agitations d'étudiants, émeutes dans des villes, guerres et tous les conflits lointains ou en vous-mêmes — mais aucune violence ne se résoudra en clarté.

« Mais comment devons-nous agir dans une société à laquelle nous appartenons ? »

Si vous agissez en réformateurs vous ne ferez que replâtrer la société, laquelle ne cesse de dégénérer, donc de soutenir un système qui a produit des guerres, des scissions, des morcellements. Le réformateur est, en vérité, un danger en ce qui concerne le changement fondamental de l'homme. Il vous faut être en dehors de toutes les communautés, de toutes les religions, et de la morale de la société, faute de quoi vous retomberez dans la vieille structure, peut-être quelque peu modifiée.

Et l'on n'est un étranger au monde que lorsqu'on cesse d'être envieux ou vicieux, lorsqu'on cesse de rendre un culte au succès ou à tout ce qui incite à le désirer. Être libre psychologiquement n'est possible que si vous vous comprenez vous-mêmes, puisque vous faites partie de votre milieu, de la structure sociale que vous avez construite — vous, c'est-à-dire les nombreux vous, les milliers d'années, et les nombreuses, nombreuses générations qui ont produit le présent. En intégrant votre humanité vous saurez quels sont vos rapports avec les générations qui se succèdent dans l'histoire.

« Mais comment peut-on se libérer du lourd conditionnement du catholicisme ? Il est si profondément enraciné en nous, si profondément enfoui dans l'inconscient. »

Que l'on soit catholique, musulman, hindou ou communiste, la propagande de cent, deux cents ou cinq mille années fait partie d'une structure verbale d'images, structure qui contribue à former nos consciences. Nous sommes conditionnés par ce que nous mangeons, par l'action des forces économiques, par la culture et la société où nous vivons. Nous *sommes* cette culture, nous *sommes* cette société. Se révolter contre elles c'est simplement se révolter contre soi-même. Et si vous vous révoltez contre vous-mêmes sans savoir ce que vous êtes, votre rébellion est entièrement perdue. Mais la conscience, sans condamnation, de ce que l'on est — une telle lucidité provoque une action totalement différente de celle du réformateur ou du révolutionnaire.

« Mais, Monsieur, notre inconscient est notre héritage racial collectif et d'après les analystes, il nous faut le comprendre. »

Je ne vois pas pourquoi vous donnez tant d'importance à l'inconscient. Il est aussi ordinaire et contrefait que le conscient et lui donner de l'importance ne peut que le renforcer. Lorsqu'on voit sa vraie valeur, il tombe comme une feuille d'automne. Nous pensons que certaines choses valent la peine d'être conservées et que d'autres peuvent être rejetées. Les guerres amènent, il est vrai, certaines améliorations périphériques mais la guerre elle-même est le plus grand des désastres pour l'homme. L'intellect ne résoudra en aucune façon nos problèmes humains. La pensée s'est efforcée en bien des façons de surmonter, de transcender notre détresse et notre angoisse. Elle a élaboré des églises, des sauveurs, des gourous ; elle a inventé les nationalités, et, dans les nations, elle a divisé les peuples en communautés et en classes qui se combattent. La pensée a séparé l'homme de l'homme et après avoir provoqué l'anarchie et de grandes afflictions, elle s'applique à inventer des structures pour les réunir. Quoi que fasse la pensée, elle ne peut qu'engendrer des dangers et de l'angoisse. Se dire Italien, Indien ou Américain est une insanité, et c'est l'œuvre de la pensée.

« Mais la réponse à cela, n'est-ce pas l'amour ? »

Vous revoilà parti ! Êtes-vous purifié de toute avidité, de toute ambition, ou ne faites-vous que vous servir du mot « amour » auquel la pensée a donné un sens ? Si elle lui a donné un sens, ce n'est pas l'amour. Le mot amour n'est pas l'amour, quelque sens que vous lui donniez. La pensée est le passé, la mémoire, l'expérience ; c'est un savoir d'où surgissent toutes les réponses aux provocations. Ces réponses — ces réactions — sont toujours inadéquates et aboutissent donc toujours à des conflits. Car la pensée est toujours vieille. Elle ne peut jamais devenir neuve. L'art moderne est un réflexe de la pensée, de l'intellect, et bien qu'il prétende être neuf, il est, en réalité vieux comme ces collines et moins beau. C'est toute la structure élaborée par la pensée — qu'on appelle l'amour, Dieu, la culture ou l'idéologie du polit-buro — qui doit être totalement rejetée, pour que naisse le neuf. Le neuf ne peut pas être façonné dans de vieux moules. En réalité vous avez peur de renier totalement votre ancien moule.

« Oui, Monsieur, nous avons peur, car si nous le rejetions, que nous resterait-il? Avec quoi le remplacerions-nous? »

Cette question provient de la pensée qui se sentant en danger, prend peur et veut être sûre de trouver de quoi remplacer ses anciens points d'appui. Ainsi, vous voilà repris dans cet enchevêtrement de la pensée qu'il vous faut rejeter en toute réalité — non verbalement ou intellectuellement — car alors, peut-être, trouveriez-vous le neuf : une nouvelle façon de vivre, de voir, d'agir. Nier est l'action la plus positive. Nier le faux sans connaître le vrai, nier l'apparence du vrai dans le faux et nier le faux en tant que faux, telle est l'action instantanée d'un esprit libéré de la pensée. Voir cette fleur avec l'image construite par la pensée, et la voir sans image, sont deux actes totalement différents. Le rapport entre l'observateur et la fleur est l'image que l'observateur a de ce qu'il observe; il y a donc une grande distance entre les deux...

Mais lorsqu'il n'y a pas d'image, l'intervalle-temps disparaît.

7

La méditation est toujours neuve. Elle ne subit pas de contact avec le passé car elle n'a pas de continuité. Le mot « neuf » ne transmet pas la fraîcheur de ce qui n'a jamais encore été là. Telle la flamme d'une bougie que l'on a éteinte et rallumée, la nouvelle lumière n'est pas l'ancienne, bien que la bougie soit la même. La méditation n'a une continuité que lorsque la pensée la colore, la façonne et lui donne une raison d'être. Un but et un sens donnés à la méditation par la pensée, deviennent un esclavage dans le champ de la durée. Mais une méditation que n'effleure pas la pensée a son mouvement propre, qui n'est pas dans le temps. Le temps implique le vieux et le neuf est un mouvement qui va des racines du passé au surgissement du lendemain. Mais la méditation est une tout autre floraison. Elle n'est pas le produit de l'expérience d'hier et, par conséquent, n'a pas du tout de racines dans le temps. Elle a une continuité qui n'est pas celle de la durée. Le mot continuité en méditation porte à des malentendus, car ce qui était hier n'a pas lieu aujourd'hui. La méditation d'aujourd'hui est un nouvel éveil, une nouvelle floraison de la beauté, de la rectitude.

L'auto avançait lentement à travers le trafic de la grande ville avec ses autobus, ses camions, ses autos et tout le bruit de ses rues étroites. Il y avait des logements sans fin, remplis de familles, des boutiques sans fin, et la ville se répandait de tous côtés, dévorant la campagne. Nous parvînmes enfin à la campagne, aux champs verts, aux blés, aux grandes étendues de moutarde en fleurs, intenses dans tout leur jaune. Le contraste entre les intensités du vert et du jaune était aussi frappant que le contraste entre le vacarme de la ville et le calme des campagnes. Nous étions sur l'autoroute du Nord qui allait du haut en bas du pays. Et il y avait des bois, des cours d'eaux et le ravissant ciel bleu.

C'était un matin de printemps. Il y avait de grandes taches de jacinthes dans le bois, puis, accolée au bois la moutarde jaune qui s'étendait presque jusqu'à l'horizon, et ensuite le champ vert du blé qui s'étalait aussi loin que l'œil pouvait voir. La route passait auprès de villages et de villes et une route latérale conduisait à un bois charmant. Les fraîches pousses printanières et l'odeur de l'herbe humide faisaient éprouver le sentiment singulier que dégagent le printemps et le renouveau de la vie. Vous étiez alors très en contact avec la nature, pendant que vous observiez la partie de la terre qui s'offrait à vous — les arbres, la nouvelle feuille délicate et le ruisseau qui coulait. Ce n'était pas un sentiment romantique ou une sensation imaginative, mais vous étiez en vérité tout cela — le ciel bleu et la terre en expansion.

La route menait à une vieille maison par une avenue de grands hêtres aux feuilles jeunes et fraîches à travers lesquelles, en élevant le regard, vous aperceviez le ciel bleu. C'était une aimable matinée et le hêtre cuivré était encore bien jeune quoique déjà très haut.

C'était un homme très grand et lourd, aux mains larges et il remplissait cet énorme siège. Il avait un visage bienveillant et était enclin à rire. C'est un fait étrange que nous riions si peu. Nos cœurs sont trop oppressés, le fastidieux labeur qu'est l'existence, la routine et la monotonie de la vie quotidienne, les ont insensibilisés. Nous sommes poussés à rire par une plaisanterie ou par un mot spirituel, mais il n'y a pas de rire en nous-mêmes ; l'amertume qui est le fruit de la maturité humaine semble être si générale. Nous ne voyons jamais l'eau qui court, nous ne rions pas avec elle ; il est triste de voir la lumière dans nos yeux se ternir de plus en plus chaque jour ; la détresse et le désespoir qui pèsent sur nous semblent colorer toute notre existence avec leurs promesses d'espoir et de plaisir que cultive la pensée.

La singulière philosophie de l'origine et de l'acceptation du silence — qu'il n'avait probablement jamais rencontrée — l'intéressait. Vous ne pouvez pas acheter du silence à la façon dont on achète un bon fromage. Vous ne pouvez pas le cultiver à la façon dont on cultive une jolie plante. Il ne peut se produire par l'effet d'aucune activité de l'esprit ou du cœur. Le silence que produit la musique que vous écoutez est un produit de cette musique, amené par elle. Le silence n'est pas une expérience ; on sait qu'il avait été là lorsqu'il n'y est plus.

Asseyez-vous un jour au bord d'une rivière et laissez votre regard plonger dans l'eau. Ne soyez pas hypnotisé par le courant, la lumière, la clarté et la profondeur de l'eau. Regardez sans aucun mouvement de la pensée. Le silence est là, tout autour de vous, en vous, dans la rivière, et dans ces arbres totalement immobiles. Vous ne pouvez pas l'emporter en rentrant chez vous, le retenir dans votre esprit ou dans votre main et vous imaginez avoir réalisé quelque état extraordinaire. Si vous l'imaginez c'est que ce n'était pas le silence, mais un souvenir, une imagination, une fuite romantique hors du bruit de la vie.

C'est à cause du silence que tout existe. La musique que vous entendiez ce matin surgissait du silence et vous l'entendiez parce que vous étiez silencieux, et elle s'en allait en silence au-delà de vous.

Mais nous n'écoutons pas le silence parce que nos oreilles sont pleines du bavardage de nos esprits. Lorsqu'on aime et qu'il n'y a pas de silence, la pensée transforme l'amour en un jeu d'une société dont la culture est l'envie et dont les dieux sont fabriqués par l'esprit et la main. Le silence est là où vous êtes à la fois en vous-même et en dehors de vous.

8

La méditation est l'apogée de toute énergie. Ce summum, on ne peut pas l'obtenir petit à petit, en refusant de reconnaître pour vrai ceci ou cela, en captant ceci et s'accrochant à cela; c'est plutôt un déni total, sans choix, de toute dissipation d'énergie. Un choix est toujours le fait d'une confusion. Le gaspillage d'énergie est essentiellement une confusion et un conflit. Voir ce qui est, exige, à quelque moment que ce soit, l'attention de toute l'énergie, ce qui ne comporte ni contradiction ni dualité. Cette énergie totale ne s'obtient pas par l'abstinence ou par des vœux de chasteté et de pauvreté. Toute détermination et tout acte de volonté sont une perte d'énergie du fait qu'ils impliquent la pensée, et la pensée est de l'énergie gaspillée, ce que la perception n'est jamais. *Voir* n'est pas un effort déterminé. Cela ne comporte pas un « je verrai », mais seulement « voir ». L'observation élimine l'observateur, et en cela il n'y a pas le gaspillage d'énergie qui se produit lorsque le penseur s'efforce d'observer. L'amour n'est pas de l'énergie perdue, mais lorsque la pensée le transforme en plaisir, la douleur dissipe l'énergie. La somme de l'énergie (ou de la méditation) est une incessante expansion, et l'action dans la vie quotidienne devient un de ses éléments.

La brise qui, ce matin-là, venait de l'est, secouait le

peuplier. Chacune de ses feuilles racontait quelque chose à la brise, chaque feuille dansait, infatigable dans sa joie printanière. Il était très tôt. Le merle chantait sur le toit. Il était là tous les matins et tous les soirs, parfois assis tranquillement à regarder autour de lui, et parfois il appelait et attendait une réponse. Il restait là plusieurs minutes, puis s'envolait. Son bec jaune brillait maintenant dans la lumière matinale. Comme il s'envolait, les nuages arrivèrent au-dessus du toit, l'horizon en était rempli, ils s'amoncelaient les uns sur les autres comme si on les avait soigneusement rangés en bon ordre. Ils avançaient et c'était comme si toute la terre était transportée par eux — les cheminées, les antennes de télévision, et même les hauts immeubles de l'autre côté de la rue. Puis ils passèrent et apparut le ciel printanier, bleu, clair, avec la légère fraîcheur que seul le printemps peut apporter. Il était extraordinairement bleu et à cette heure matinale la rue adjacente était presque silencieuse. Vous pouviez entendre un bruit de talons sur le pavé et, au loin, un camion qui passait. La journée allait bientôt commencer. Comme vous regardiez le peuplier par la fenêtre, c'était l'univers que vous voyiez, et sa beauté.

Il demanda : « Qu'est-ce que l'intelligence ? Vous en parlez beaucoup et je voudrais avoir votre opinion à ce sujet. »

Les opinions et les discussions à leur sujet ne sont pas la vérité. Vous pouvez les examiner indéfiniment dans leur diversité, évaluer ce qu'elles ont de vrai et de faux, mais quelque juste et raisonnable qu'une opinion puisse être, elle n'est pas la vérité. Une opinion est toujours basée sur quelque préjugé, colorée par une culture, par une éducation, par les connaissances que l'on a. Pourquoi l'esprit devrait-il se surcharger du fardeau des opinions sur telle personne, tel livre, telle idée ? Pourquoi ne serait-il pas vide ? Et pourtant seul l'esprit vide peut voir clairement.

« Mais nous avons tous des opinions sur tout. J'ai mon opinion sur le leader politique actuel, basée sur ce qu'il a dit et fait, sans quoi je ne pourrais pas voter pour lui. Les opinions sont nécessaires pour agir, ne le pensez-vous pas ? »

Les opinions peuvent être cultivées, affermies, durcies, et la plupart des actions sont basées sur ce qu'on aime et ce qu'on n'aime pas. Le durcissement de l'expérience et des connaissances s'exprime dans l'action, mais une telle action divise et sépare l'homme de l'homme ; ce sont les opinions et les croyances qui empêchent l'observation de ce qui est. La capacité de voir *ce qui est*, fait partie de cette intelligence qui est l'objet de votre question. Il n'y a pas d'intelligence sans une sensibilité du corps et de l'esprit, c'est-à-dire une sensibilité sensorielle et une clarté dans l'observation. L'émotivité et la sentimentalité sont des entraves à cette sensibilité. Être sensitif en un domaine et endurci en un autre, c'est être dans un état de contradiction et de conflit qui dénie l'intelligence. Rassembler en un tout des morceaux éparpillés n'engendre pas l'intelligence. La sensibilité est attention, laquelle est intelligence. L'intelligence n'a aucun rapport avec les connaissances et les informations. Les connaissances sont toujours le passé ; on peut leur faire appel en vue d'agir dans le présent, mais elles limitent toujours le présent. L'intelligence est toujours dans le présent ; elle ne se situe dans aucun temps.

9

La méditation consiste à éliminer de l'esprit toute malhonnêteté. La pensée engendre la malhonnêteté. La pensée qui s'efforce d'être honnête juge par comparaisons et est, par conséquent, malhonnête, car toute comparaison est un processus d'évasion, et est donc malhonnête. L'honnêteté n'est pas l'opposé de la malhonnêteté; ce n'est ni un principe ni un conformisme mais plutôt la perception totale de ce qui est. Et la méditation est le mouvement silencieux de cette honnêteté.

La journée commença plutôt nuageuse et grise et les arbres nus étaient silencieux dans les bois. A travers le bois vous pouviez voir des crocus, des narcisses et de brillants forsythias jaunes. Vous regardiez de loin et c'était une masse jaune contre les prés verts. Comme vous vous rapprochiez vous étiez aveuglé par l'éclat de ce jaune — qui était Dieu. Ce n'est pas que vous vous identifiiez à cette couleur ou que vous deveniez une expansion qui remplissait l'univers de ce jaune : il n'y avait pas de vous pour le regarder. Lui seul existait et pas autre chose, ni les bruits autour de vous ni le merle qui chantait sa mélodie matinale, ni les voix des passants sur la route, ou la bruyante auto avec sa ferraille. Il existait, *lui*, et pas autre chose. Et la beauté et l'amour étaient en cette existence.

Vous reveniez dans le bois. Quelques gouttes de

pluie tombaient et le bois était déserté. Le printemps arrivait, mais ici, dans les régions du Nord, les arbres n'avaient pas de feuilles. Ils étaient moroses, ayant subi l'hiver et tant attendu le soleil et un temps plus doux. Un cavalier passa. Le cheval suait; avec sa grâce, son mouvement, il était quelque chose de plus que l'homme. L'homme, avec sa culotte, ses bottes reluisantes et sa casquette d'équitation, avait l'air insignifiant. Le cheval avait de la race, il tenait la tête haute. L'homme, bien qu'à cheval, était un étranger dans le monde de la nature, mais le cheval semblait faire partie de cette nature que les hommes détruisaient lentement.

Les arbres étaient grands — des chênes, des ormes et des hêtres. Ils se tenaient là en silence. La terre était molle, couverte de feuilles d'hiver, et ici le sol semblait être très ancien. Il y avait peu d'oiseaux. Le merle appelait et le ciel se dégageait.

Lorsque vous rentriez, le soir, le ciel était très clair et la lumière sur ces arbres énormes était étrange et pleine d'un mouvement silencieux.

La lumière est une chose extraordinaire; plus vous l'observez, plus elle devient profonde et vaste; dans son mouvement les arbres étaient captifs. C'était surprenant; aucun peintre n'aurait pu représenter la beauté de cette lumière. C'était plus que la lumière du soleil couchant, c'était plus que ne voyaient les yeux. C'était comme si l'amour était sur terre. Vous retrouviez encore une fois la masse jaune des forsythias et la terre se réjouissait.

Elle vint avec ses deux filles, mais les envoya jouer dehors. C'était une femme jeune, d'aspect plutôt agréable et fort bien habillée; elle avait l'air d'être assez impatiente et pleine de ressources. Elle dit, sans spécifier cet emploi, que son mari travaillait dans un bureau, et que la vie passait ainsi. Elle avait une sorte de tristesse, mal déguisée par des sourires fugitifs. Elle demanda : « En quoi consistent les rapports humains ? Je suis mariée depuis plusieurs années et je suppose que nous nous aimons, mon mari et moi —

mais il y a dans cette union un manque terrible de quelque chose. »

Vous voulez réellement examiner cela de très près ?

« Oui. Je suis venue de loin pour vous en parler. »

Votre mari travaille dans son bureau et vous travaillez dans votre maison, chacun de vous avec ses ambitions, ses frustrations, ses tourments et ses peines. Il veut obtenir un poste important et il craint de ne pas y parvenir parce que d'autres pourraient être nommés avant lui. Il est enfermé dans son ambition, ses frustrations, dans la recherche de son épanouissement, et vous, de votre côté, êtes enfermée de la même manière. Il rentre à la maison fatigué, irritable, avec la crainte en son cœur et il ramène cette tension avec lui. Vous aussi êtes fatiguée au bout d'une longue journée, avec les enfants et tout ce que vous avez eu à faire. Vous et lui prenez un verre de quelque chose pour soulager vos nerfs, et tombez dans une conversation malaisée. Après cela, le repas, puis l'inévitable lit. C'est ce qu'on appelle des rapports conjugaux — chacun vit dans son activité égocentrique et les deux se retrouvent au lit ; c'est ce qu'on appelle l'amour. Bien sûr, cela comporte un peu de tendresse, un peu de considération pour l'autre, et des petites tapes sur la tête pour les enfants. Ensuite viendront la vieillesse et la mort. C'est ce qu'on appelle vivre, et vous acceptez ce mode de vie.

« Que puis-je faire d'autre ? Nous sommes élevés dans ce mode de vie, notre éducation nous y a adaptés. Nous voulons une sécurité et certains biens de ce monde. Je ne vois pas comment je pourrais vivre autrement. »

Est-ce le désir de sécurité qui unit les personnes ? Ou les mœurs, l'acceptation d'une certaine structure sociale, l'idée d'un mari, d'une femme, d'une famille ? En tout cela ne pensez-vous pas qu'il y ait très peu de bonheur ?

« Il y a du bonheur, mais trop à faire, trop de choses dont on doit s'occuper. Il y a tant à lire si l'on veut être bien informé. On n'a pas beaucoup de temps pour se recueillir. Il est certain qu'on n'est pas réellement heureux, mais on continue à vivre ainsi. »

Tout cela s'appelle être en relation les uns avec les autres, là où il n'y a évidemment pas de relation du tout. Vous pouvez être physiquement ensemble pendant quelque temps mais chacun vit dans son propre monde d'isolement, d'où il crée son propre malheur, et où il ne trouve pas d'union sur un plan plus profond et plus large que le niveau physique. C'est la faute de la société, n'est-ce pas, de la culture où nous avons été élevés, et dans laquelle nous nous laissons prendre si facilement? C'est une société pourrie, une société corrompue et immorale que les êtres humains ont créée. C'est cela qui doit être changé et qui ne peut être changé que si l'être humain, qui en est l'auteur, se change lui-même.

« Il se peut que je puisse comprendre ce que vous dites et peut-être me changer, mais lui? Lutter, réussir, devenir quelqu'un, lui donne un grand plaisir. Il ne changera pas, et nous revoici là où nous étions au début — moi essayant faiblement de briser mes entraves, et lui consolidant de plus en plus l'étroite cellule de sa vie. Quel est le sens de tout cela? »

Ce mode d'existence n'a absolument aucun sens. Nous avons formé cette vie, engendré ses brutalités quotidiennes et sa laideur (avec, à l'occasion, quelques éclaircies joyeuses); donc nous devons mourir à elle. Savez-vous, Madame, en fait, il n'y a pas de demain. Demain est l'invention de la pensée en vue de réaliser ses sordides ambitions et son épanouissement. La pensée construit de nombreux lendemains, mais en réalité il n'y a pas de lendemain. Mourir au lendemain c'est vivre complètement aujourd'hui. Lorsqu'on le fait, toute l'existence change. Car l'amour n'est pas demain, l'amour n'est pas un élément de la pensée, l'amour n'a ni passé ni futur. L'acte de vivre complètement aujourd'hui comporte une grande intensité, et sa beauté — que n'effleurent ni l'ambition, ni la jalousie, ni le temps — est une relation, non seulement avec l'homme, mais avec la nature, les fleurs, la terre et les cieux. En cela est l'intensité et l'innocence; dès lors vivre a une tout autre signification.

10

On ne peut jamais entreprendre une méditation ; elle doit se produire sans qu'on la recherche. Si vous la recherchez ou si vous demandez comment méditer, la méthode non seulement vous conditionnera, mais elle renforcera votre conditionnement présent. La méditation, en réalité, est le déni de toute la structure de la pensée. La pensée est structurale, raisonnable ou déraisonnable, objective ou malsaine, et lorsqu'elle essaie de méditer par raison ou à partir d'un état contradictoire et névrosé, elle projette inévitablement ce qu'elle est, et prend sa structure pour une grave réalité. C'est comme le croyant qui médite sur sa propre croyance : il renforce et sanctifie ce qu'il a créé lui-même, poussé par sa peur. Le mot est l'image ou le tableau, objet d'une idolâtrie qui devient la pensée essentielle.

Le bruit construit sa propre cage sonore. Il en résulte que le bruit de la pensée provient de la cage, et c'est ce mot et sa sonorité qui séparent l'observateur et l'observé. Le mot n'est pas seulement un élément du langage, il n'est pas un simple son, c'est aussi un symbole, le rappel de tout souvenir susceptible de déclencher le mouvement de la mémoire, de la pensée. La méditation est l'absence totale de ce mot. La racine de la peur est le mécanisme du mot.

C'était le début du printemps et, au Bois, il était

étrangement aimable. Il n'y avait que quelques feuilles nouvelles et le ciel n'était pas encore de ce bleu intense qui apparaît avec l'enchantement du printemps. Les marronniers n'étaient pas encore en bourgeons, mais le parfum de la jeune saison était dans l'air. Dans cette partie du Bois il n'y avait presque personne et l'on pouvait entendre les voitures qui passaient au loin. Nous marchions en ce début de matinée et l'air avait cette douce vivacité des premiers jours du printemps. Il avait parlé, questionné, demandé ce qu'il devait faire.

« Elle semble n'avoir pas de fin, cette constante analyse, cette introspection, cette vigilance. J'ai essayé tant de choses : les gourous sans barbe, et les gourous barbus, et plusieurs systèmes de méditation — vous savez : tous les tours de passe-passe — et cela vous laisse creux, la bouche sèche. »

Pourquoi ne commencez-vous pas par l'autre bout, au sujet duquel vous ne savez rien — par l'autre rive que vous ne pouvez absolument pas voir de celle-ci ? Commencez par l'inconnu, plutôt que par le connu, car cette perpétuelle observation, cette analyse, ne font que renforcer et conditionner le connu. Que votre esprit vive à partir de l'autre bout, et ces problèmes n'existeront pas.

« Mais comment puis-je commencer à partir de l'autre bout ? Je ne le connais pas, je ne le vois pas. »

Lorsque vous demandez : « Comment puis-je commencer à partir de l'autre bout ? » vous posez encore votre question à partir de ce bout-ci. Ne la posez donc pas. Commencez plutôt à partir de l'autre rive, dont vous ne connaissez rien, à partir d'une autre dimension que la pensée artificieuse ne peut pas capturer.

Il demeura quelque temps silencieux et un faisan vola près de nous. Il apparut brillant au soleil et disparut derrière quelques buissons. Lorsqu'il réapparut un peu plus tard, c'était avec quatre ou cinq poules faisanes, et il se tenait, puissant, au milieu d'elles.

Il était si préoccupé qu'il n'avait pas du tout vu le faisan, et lorsque nous le lui montrâmes, il dit : « Comme il est beau ! » Ce qui n'était que des mots, parce que son esprit était absorbé par le problème de comment commencer à partir de quelque chose qu'il ne connaissait pas. Un jeune lézard, long et vert, était sur un rocher, en train de se chauffer au soleil.

« Je ne vois pas comment m'y prendre pour commencer par ce bout-là. En fait, je ne comprends pas cette assertion vague, dont les termes, pour moi du moins, n'ont pas de sens. Je ne peux aller que vers ce que je connais. »

Mais que savez-vous? Vous ne connaissez que ce qui est déjà terminé, déjà conclu. Vous ne connaissez que ce qui est d'hier, et nous disons : commencez par ce que vous ne connaissez pas, et vivez en partant de là. Si vous dites : « Comment puis-je vivre à partir de là? », vous invitez la structure d'hier. Mais si vous viviez avec l'inconnu, vous seriez libre, vous agiriez à partir de votre liberté, et, après tout, c'est cela l'amour. Si vous dites : « Je sais ce qu'est l'amour », c'est que vous ne savez pas ce que c'est. Cela ne peut sûrement pas être une mémoire, le souvenir d'un plaisir. Et puisque ce n'est pas cela, vivez avec ce que vous ne connaissez pas.

« Je ne sais vraiment pas de quoi vous parlez. Vous ne faites qu'aggraver le problème. »

Je vous demande une chose très simple. Je dis que plus vous creusez, plus il y a à creuser. Le seul fait de creuser est votre conditionnement, et chaque pelletée forme des échelons qui ne mènent nulle part. Vous demandez qu'on vous construise de nouveaux échelons, ou vous voulez établir les vôtres, qui vous conduiraient vers une toute nouvelle dimension. Mais si vous ne savez pas ce qu'est cette dimension-là — qui n'est pour vous qu'un objet de spéculation — que vous alliez seul ou sur les traces des autres, vous n'aboutirez qu'à ce qui est déjà connu. Laissez donc tomber tout cela, et commencez par l'autre bout. Soyez silencieux et vous trouverez.

« Mais je ne sais pas comment être silencieux! »

Vous revoici encore une fois dans le « comment », et il n'y a pas de fin au comment. Toute connaissance est du mauvais côté. Si vous « savez », vous êtes déjà dans votre tombe. Être n'est pas un savoir

11

A la lumière du silence tous les problèmes se dissolvent. Cette lumière n'est pas engendrée par l'ancien mouvement de la pensée. Elle n'est pas engendrée, non plus, par une connaissance qui vous révèle à vous-même. Elle n'est pas éclairée par le temps ou par un quelconque acte de volonté. Elle surgit en la méditation. La méditation n'est pas une affaire privée; ce n'est pas une recherche personnelle du plaisir; le plaisir isole toujours, et divise. En la méditation la ligne de séparation entre vous et moi disparaît; en elle la lumière du silence détruit ma connaissance de moi-même. Le moi peut être étudié indéfiniment, car il varie de jour en jour, mais on ne l'atteint jamais que d'une façon limitée, quelqu'étendus que soient les moyens d'approche. Le silence est liberté, et la liberté se produit en tant qu'acte final d'un ordre complet.

C'était un bois au bord de la mer. Le vent constant avait déformé les pins, les avait rabougris et les branches étaient dépouillées de leurs aiguilles. C'était le printemps, mais le printemps n'arriverait pas pour ces pins. Il était là, mais loin d'eux, loin de ce vent perpétuel et de l'air salin. Il était là, en fleurs, et chaque brin d'herbe et chaque feuille criaient, chaque marronnier était en floraison, ses pyramides de fleurs éclairées par le soleil. Les canards avec leur canetons étaient là, les tulipes et les narcisses. Mais ici il était nu, sans une ombre, et chaque arbre agonisait, tordu, atrophié, dénudé. Ils étaient trop près de la mer. Ce lieu avait son propre caractère de beauté mais il regardait vers ces bois lointains avec une silencieuse angoisse, car ce jour-là le vent froid était très fort ; il y avait de hautes vagues et les vents puissants repoussaient le printemps vers l'intérieur des terres. Il y avait du brouillard au-dessus de la mer et les nuages dans leur course recouvraient la campagne, transportant avec eux les canaux, les bois et la terre plate. Même des tulipes naines, si près du sol, étaient secouées et leur brillante couleur était une onde lumineuse au-dessus des champs. Les oiseaux étaient dans les bois, mais non parmi les pins. Il n'y avait là qu'un merle ou deux, dont les becs jaunes brillaient, et un ou deux pigeons. C'était merveilleux de voir la lumière sur l'eau.

C'était un homme haut de taille, bâti massivement, avec de grandes mains. Ce devait être un homme très riche. Il avait, très appréciée des critiques, une collection de peintures modernes dont il était assez fier. Comme il vous le disait, vous pouviez voir une lueur d'orgueil dans ses yeux. Il avait un grand chien, actif et très joueur. Il était plus vivant que son maître. Il avait envie d'être dehors, dans l'herbe, parmi les dunes, de courir contre le vent, mais il s'assit, obéissant, là où son maître lui dit de s'asseoir et s'endormit bientôt, excédé d'ennui.

Les possessions nous possèdent plus que nous ne les possédons. Le château, la maison, les tableaux, les livres, le savoir deviennent bien plus importants que l'être humain.

Il dit qu'il avait beaucoup lu et vous pouviez voir, d'après sa bibliothèque, qu'il possédait les livres les plus récents. Il parla de spiritualité mystique et de la folle passion pour les drogues qui se répandait dans tout le pays. C'était un homme riche et qui avait réussi, mais tout cela était creux et il y avait en lui le vide que ne comblent jamais les livres, les tableaux ou la connaissance des affaires.

174

C'était cela, la tristesse de la vie — c'est ce vide que nous essayons de remplir par tous les artifices auxquels nous pouvons penser. Mais ce vide demeure. Sa désolation est le vain effort de posséder. Cette tentative aboutit à l'esprit de domination, et à l'affirmation du moi avec ses mots sans contenu et ses riches souvenirs de choses qui ont disparu et qui ne reviendront jamais. C'est ce vide et cette solitude que la pensée isolante cultive et nourrit par les connaissances qu'elle a élaborées.

C'est cette tristesse des vains efforts qui détruit l'homme. Sa pensée ne vaut pas un ordinateur, et il n'a que la pensée comme seul instrument pour aborder les problèmes de la vie, lesquels, par conséquent, le détruisent. C'est alors la tristesse d'une vie gâchée, dont probablement il ne comprendra qu'elle a été gâchée qu'au moment de sa mort — et il sera trop tard.

Ainsi, les possessions, le caractère que l'on a, les réussites, l'épouse domestiquée, deviennent terriblement importants, et cette tristesse expulse l'amour. Vous pouvez avoir des possessions ou de l'amour; vous ne pouvez pas avoir les deux. Les possessions engendrent du cynisme et de l'amertume, qui sont les seuls fruits de l'homme; l'amour se trouve au-delà des bois et des collines.

12

L'imagination et la pensée n'ont aucune place dans la méditation. Elles conduisent à la servitude et la méditation apporte la liberté. Le bien et ce qui donne du plaisir sont deux choses différentes; l'un confère la liberté, l'autre nous soumet à la domination du temps. La méditation est un état libéré du temps. Le temps est l'observateur, celui qui fait l'expérience, le penseur; le temps est la pensée : la méditation consiste à aller au-delà et au-dessus des activités du temps.

L'imagination est toujours dans la sphère du temps, et quelque cachée et secrète qu'elle puisse être, elle agit. Cette action de la pensée conduit inévitablement à un conflit et à la soumission au temps. Méditer c'est être innocent en ce qui concerne le temps.

Vous pouviez voir le lac à des kilomètres de distance. On y parvenait par des routes en méandres qui vagabondaient à travers les champs de céréales et des forêts de pins. C'était un pays bien organisé. Les routes étaient très propres et les fermes avec leur bétail, leurs chevaux, leurs poules et leurs porcs étaient bien ordonnées. Vous descendiez jusqu'au lac par des collines arrondies, et, de chaque côté, se trouvaient des montagnes couvertes de neige. Le temps était très clair et la neige étincelait au point du jour. Depuis de nombreux siècles il n'y avait pas eu de guerres dans ce pays, et l'on y sentait qu'une grande sécurité et qu'une routine, jamais bouleversée, de la vie quotidienne s'accompagnaient de la lourdeur et de l'indifférence d'une société installée dans son bon gouvernement.

C'était une route lisse et bien tenue, assez large pour des dépassements faciles, et maintenant, comme vous arriviez au haut de la colline, vous vous trouviez parmi les vergers. Un peu plus loin vous aperceviez un grand champ de tabac. Comme vous vous en approchiez vous pouviez sentir l'intense parfum des fleurs de tabac en cours d'épanouissement.

Ce matin-là, alors que vous descendiez d'une certaine altitude, il commençait à faire chaud et l'air était plutôt lourd. La paix des champs entrait dans votre cœur et vous deveniez une partie de la terre.

C'était une des premières journées de printemps. Il y avait une fraîche brise du nord, et le soleil commençait déjà à tracer des ombres nettes. L'eucalyptus, haut et lourd, se balançait doucement contre la maison et un merle, tout seul, chantait; vous pouviez le voir de là où vous étiez assis. Il devait avoir un certain sens de solitude, car il y avait très peu d'oiseaux ce matin-là. Les moineaux étaient alignés sur le mur qui surplombait le jardin. Ce jardin était plutôt mal tenu; sa pelouse avait besoin d'être tondue. Les enfants viendraient y jouer dans l'après-midi et on pourrait entendre leurs cris et leurs rires. Ils se pourchasseraient parmi les arbres, jouant à cache-cache, et des rires aigus rempliraient l'air.

Il y avait environ huit personnes autour de la table, au déjeuner. L'un était un cinéaste, un autre un pianiste et il y avait aussi un jeune étudiant d'Université. Ils parlaient de politique, des émeutes en Amérique, et de la guerre qui avait l'air de se prolonger indéfiniment. C'était un courant de conversation facile à propos de rien. Le cinéaste dit tout à coup : « Nous, de la génération plus âgée n'avons aucune place dans le monde moderne qui vient. Un auteur très connu parlait l'autre jour à l'Université — les étudiants le mirent en pièces et ce qu'il disait tomba à plat, car cela n'avait aucun rapport avec ce que voulaient les étudiants, ou ce à quoi ils pensaient, ou ce qu'ils désiraient. Il exposait ses points de vue, sa propre importance, son mode de vie, et les étudiants ne voulaient rien savoir de tout cela. Comme je le connais, je sais ce qu'il pouvait ressentir. Il était réellement perdu mais ne voulait pas l'admettre. Il voulait être accepté par la jeune génération, laquelle refusait sa façon respectable et traditionnelle de vivre — bien que dans ses livres il eût écrit au sujet d'un changement formel... Moi, personnellement, continua le cinéaste, je vois que je n'ai aucun rapport, aucun contact avec qui que ce soit de la jeune génération. Je sens que nous sommes des hypocrites. »

Ceci était dit par un homme qui avait à son actif de nombreux films, très connus, d'avant-garde. Il n'était pas amer au sujet de ce qu'il venait de dire. Il ne faisait que constater un fait avec un sourire et un haussement d'épaules. Ce qui était particulièrement plaisant chez lui était une franchise avec cette pointe d'humilité qui l'accompagne souvent.

Le pianiste était assez jeune. Il avait renoncé à sa carrière pleine de promesses, parce qu'il pensait que tout ce monde d'imprésarios, de concerts, avec la publicité et la question d'argent qui s'y mêlent, est un racket glorifié. Il voulait, quant à lui, vivre une vie toute différente, une vie religieuse.

Il dit : « C'est pareil dans le monde entier. Je reviens de l'Inde. Là, le fossé entre les vieux et les jeunes est peut-être plus grand. La tradition et la vitalité des personnes âgées y sont terriblement fortes, et engouffreront probablement la jeune génération. Mais quelques-uns, je l'espère, résisteront, qui donneront le départ d'un nouveau mouvement.

« J'ai remarqué, car j'ai voyagé quelque peu, que les jeunes (et je suis vieux par rapport à eux) se détachent de plus en plus de l'ordre établi. Peut-être s'égarent-ils dans le monde des drogues et du mysticisme oriental, mais il y a en eux une promesse, une nouvelle vitalité. Ils rejettent les Églises, les prêtres obèses, la hiérarchie sophistiquée du monde religieux. Ils ne veulent rien avoir à faire avec la politique ou les guerres. Peut-être en sortira-t-il le germe de quelque chose de neuf. »

Pendant tout ce temps, l'étudiant universitaire était resté silencieux, mangeant ses spaghettis et regardant par la fenêtre ; mais il avait, comme les autres, suivi attentivement la conversation. Il était assez timide, n'aimait pas étudier, mais allait cependant à l'Université pour écouter des professeurs — qui étaient incapables de lui donner un enseignement adéquat. Il lisait beaucoup, aimait la littérature anglaise ainsi que celle de son pays, et en avait parlé d'autres fois, au cours d'autres repas.

Il dit : « Bien que je n'aie que vingt ans, je suis déjà vieux, en comparaison avec ceux de quinze ans. Leurs cerveaux sont plus rapides, ils sont plus enthousiastes, ils voient les choses plus clairement, ils comprennent avant moi les questions que l'on traite. Ils ont l'air d'en savoir plus que moi et je me sens vieux par rapport à eux. Mais je suis entièrement d'accord avec ce que vous avez dit. Vous vous sentez hypocrites du fait que vous dites une chose et en faites une autre. On peut comprendre cela chez les politiciens et les prêtres, mais ce qui me déconcerte c'est — pourquoi doit-on se joindre à ce monde hypocrite ? Votre morale pue ; vous *voulez* des guerres.

« Quant à nous, nous ne haïssons ni le nègre, ni l'homme brun, ni aucune autre couleur. Nous nous sentons chez nous avec tous. Je le sais parce que j'ai fait, à l'occasion, route commune avec eux.

« Mais vous, la plus vieille génération, avez créé ce monde de distinctions raciales et de guerres — et nous ne voulons rien de ce qui le constitue. Donc, nous nous révoltons. Mais cette révolte même devient à la mode et est exploitée par différents politiciens, de sorte que nous perdons notre sens originel de dégoût. Peut-être deviendrons-nous, nous aussi, des citoyens respectables et moraux. Mais en ce moment, nous haïssons votre moralité et n'avons aucune morale du tout. »

180

Il y eut une minute ou deux de silence; et l'eucalyptus était immobile, presque à l'écoute des mots qui s'entrecroisaient autour de la table. Le merle était parti, ainsi que les moineaux.

Nous ajoutâmes : Bravo! vous avez parfaitement raison. Dénier toute moralité c'est être moral, car la moralité admise est celle de la respectabilité et je crains que nous ayons tous un vif désir d'être respectés — c'est-à-dire d'être reconnus comme étant de bons citoyens dans une société pourrie. La respectabilité est très profitable car elle procure un bon emploi et un revenu assuré. La morale acceptée par l'ordre établi est celle de l'avidité, de l'envie et de la haine.

C'est lorsque vous déniez tout cela, non par vos lèvres, mais en votre cœur, que vous êtes réellement moral. Car cette moralité-là surgit de l'amour et non du désir d'un profit, d'une réussite ou d'une situation dans une hiérarchie. Cet amour ne peut pas exister si vous appartenez à une société dans laquelle vous cherchez à être célèbre, à être reconnu, à avoir une situation. Comme il n'y a pas d'amour en cette ambition sa moralité est immoralité. Lorsque vous refusez tout cela du fond de votre cœur, une vertu est là, englobée dans l'amour.

13

Méditer c'est transcender le temps. Le temps est la distance que parcourt la pensée dans ses élaborations. Ce parcours s'effectue toujours le long d'un chemin ancien muni de nouveaux revêtements, de nouveaux sites, mais c'est toujours le même, qui ne mène nulle part, si ce n'est à la douleur et à l'adversité.

Ce n'est que lorsque l'esprit transcende le temps que la vérité cesse d'être une abstraction. Alors la félicité n'est pas une idée basée sur la notion de plaisir, mais un fait réel qui n'est pas verbal.

Vider l'esprit de tout ce qui se rapporte au temps c'est y introduire le silence de la vérité. Voir qu'il en est ainsi, c'est faire que cela soit. Il n'y a donc là aucune division entre voir et faire. C'est dans l'intervalle entre voir et faire que naissent les conflits, les misères, les confusions. Ce qui n'est pas dans le temps est l'éternité.

Sur chaque table il y avait des jonquilles jeunes, fraîches, que l'on venait de cueillir dans le jardin, et qui avaient encore tout l'éclat du printemps. Sur une table placée de côté il y avait des lys blanc crème avec leurs centres jaune brillant. Voir ce blanc crème et le jaune éclatant des nombreuses jonquilles c'était voir le ciel bleu, toujours en expansion, illimité, silencieux.

Presque toutes les tables étaient occupées par des

personnes qui parlaient très fort et qui riaient. A une table voisine une femme nourrissait subrepticement son chien avec la viande qu'elle ne pouvait manger. Ils semblaient tous avoir des portions énormes et voir les gens manger n'était pas un spectacle plaisant; manger publiquement est peut-être une coutume barbare. Un homme, de l'autre côté de la salle, s'était gorgé de vin et de viande et était en train d'allumer un gros cigare; un air de béatitude apparut sur son visage gras. Sa femme, également grasse, alluma une cigarette. Ils paraissaient tous deux perdus au monde.

Et elles étaient là, les jonquilles jaunes, et personne n'avait l'air d'y prêter attention. Elles étaient là dans un but décoratif et n'avaient absolument aucune signification; mais comme vous les observiez, leur éclat jaune remplissait la salle bruyante. La couleur a ce curieux effet sur l'œil. Ce n'était pas tant le fait que l'œil absorbait la couleur; elle semblait remplir votre être. Vous *étiez* cette couleur; vous ne la deveniez pas — vous en faisiez partie, sans identification, sans un nom : dans un anonymat qui est innocence. Ce qui n'est pas anonyme engendre la violence, sous toutes ses formes.

Mais vous oubliiez le monde, la salle remplie de fumée, la cruauté de l'homme, et la vilaine viande rouge; ces gracieuses jonquilles semblaient vous transporter au-delà du temps.

Tel est l'amour. En lui il n'y a pas de temps, d'espace ou d'identité. C'est l'identité qui engendre le plaisir et la douleur; c'est l'identité qui apporte la haine et la guerre et qui construit des murs autour des gens, autour de chacun, de chaque famille, de chaque communauté. L'homme tend la main à l'homme au-dessus du mur, mais lui aussi est encerclé; la moralité qui les relie l'un à l'autre est un mot qui devient laid et vain.

L'amour n'est pas ainsi. Il est comme ce bois que traverse le chemin, qui se renouvelle toujours parce qu'il meurt toujours. Il n'y a pas en lui la permanence que recherche la pensée; c'est un mouvement que la pensée ne peut jamais comprendre, toucher ou sentir.

Ce que la pensée fait éprouver et ce que fait éprouver l'amour sont deux choses différentes ; la pensée mène à la servitude, l'amour à la floraison de la rectitude. Cette floraison n'est dans le champ d'aucune société, d'aucune civilisation, d'aucune religion, tandis que la servitude est le fait de toutes les sociétés, de toutes les croyances religieuses et de la foi en autrui. L'amour est anonyme, donc non violent. Le plaisir est violent, car le désir et la volonté sont en lui des facteurs mouvants. L'amour ne peut pas être engendré par la pensée ou par de bonnes œuvres. Le déni de tout le processus de la pensée devient la beauté de l'action, qui est amour. Sans ce déni, la félicité de la vérité est absente.

Et là-bas, sur cette table, étaient les jonquilles.

14

La méditation est l'éveil de la félicité; elle appartient aux sens et à la fois les transcende. Elle n'a pas de continuité parce qu'elle n'appartient pas au temps. Le bonheur et la joie des relations avec les choses, la vision d'un nuage qui porte sur lui la terre, et la lumière du printemps sur les feuilles, sont une félicité de l'œil et de l'esprit. Cette félicité peut être cultivée par la pensée et dotée d'une durée dans l'espace de la mémoire, mais ce prolongement n'est pas la félicité de la méditation, qui inclut l'intensité des sens. Les sens doivent être aiguisés et en aucune façon déformés par la pensée, par la discipline d'un conformisme et d'une morale sociale. La liberté des sens n'implique aucune complaisance : la complaisance est le plaisir de la pensée. La pensée est semblable à la fumée d'un feu et la félicité est le feu sans la fumée dont le nuage fait larmoyer. Le plaisir est une chose, la félicité est tout autre chose. Le plaisir est la servitude de la pensée et la félicité est au-delà et au-dessus de la pensée. Le fondement de la méditation consiste à comprendre la pensée et le plaisir, avec leur morale et la discipline qui réconforte. La félicité de la méditation n'appartient ni au temps, ni à la durée; elle est au-delà des deux et n'est donc pas mesurable. Son extase ne se produit ni dans le regard du spectateur ni dans l'expérience du penseur.

La pensée ne peut pas la toucher avec ses mots, ses

symboles, et la confusion qu'elle engendre; elle n'est pas un mot susceptible de prendre racine dans la pensée et d'être façonné par elle. La félicité surgit du silence complet.

C'était une plaisante matinée avec des nuages légers et un ciel bleu et clair. Il avait plu et l'air était pur. Chaque feuille était neuve et le triste hiver était terminé; chaque nouvelle feuille, dans le soleil scintillant, savait qu'elle n'avait aucune relation avec le printemps de l'année précédente. Le soleil brillait à travers les nouvelles feuilles, répandant une douce lumière verte sur le chemin mouillé qui, à travers les bois, menait à la route principale qui desservait la grande ville.

Des enfants jouaient par là, mais ils ne contemplaient jamais cette jolie journée de printemps. Ils n'en avaient pas besoin, car ils étaient le printemps. Leurs rires et leurs jeux participaient de l'arbre, de la feuille, de la fleur. Vous le sentiez, vous ne l'imaginiez pas. C'était comme si les feuilles et les fleurs prenaient part aux rires, aux cris et aux trajectoires du ballon. Chaque brin d'herbe, et le pissenlit jaune, et la tendre feuille si vulnérable, tout cela faisait partie des enfants, et les enfants étaient une partie de toute la terre. La ligne de séparation entre l'homme et la nature avait disparu; mais l'homme sur la piste avec sa voiture de course et la femme qui revenait du marché n'en étaient pas conscients. Peut-être ne regardaient-ils jamais le ciel, la feuille tremblante, le blanc lilas. Ils portaient leurs problèmes dans leurs cœurs et le cœur ne regardait jamais les enfants ou la lumineuse journée de printemps. La grande pitié de cela était qu'ils procréaient ces enfants, lesquels bientôt deviendraient l'homme sur sa piste de course et la femme revenant du marché; et le monde, de nouveau, s'obscurcirait. C'est en cela que résidait la douleur sans fin. L'amour, en cette feuille, s'envolerait au prochain automne.

C'était un homme jeune avec une femme et des

enfants. Il avait l'air d'avoir fait des études très poussées, c'était un intellectuel, habile dans l'emploi des mots. Il était plutôt maigre et se trouvait confortablement assis dans le fauteuil — jambes croisées, mains repliées sur les genoux. Ses lunettes brillaient au rayon de soleil qui venait de la fenêtre. Il dit qu'il avait toujours été en quête, non de vérités philosophiques mais de la vérité qui est au-delà des mots et des systèmes.

Je suppose que vous cherchez parce que vous êtes insatisfait.

« Non, ce n'est pas exactement cela. Je suis insatisfait comme tout être humain, mais ce n'est pas la raison de ma quête. Ma recherche n'est pas de celles qui se font avec un microscope ou un télescope, et n'est pas non plus celle du prêtre pour son Dieu. Je ne puis dire ce que je cherche ; je ne puis mettre le doigt dessus. Il me semble que je suis né avec le besoin de chercher, et bien que je sois heureux en ménage, ma quête continue. Ce n'est pas une évasion. Je ne sais vraiment pas ce que je veux trouver. J'en ai parlé avec des philosophes qualifiés et des missionnaires venus d'Orient et ils m'ont tous dit de poursuivre mes recherches et de ne jamais m'arrêter. Après toutes ces années cependant, ce problème ne cesse de me troubler. »

Doit-on, en aucune façon, chercher ce qu'on ne connaît pas ? Ce qu'on cherche est toujours quelque chose, là-bas, sur l'autre rive, à une distance que le temps et de grandes enjambées sont censées pouvoir réduire. La quête et la découverte sont dans le futur — là-bas, juste au-delà de la colline. Telle est la signification essentielle de cette recherche. Le présent est ici, et la chose que l'on pense trouver est dans le futur. Le présent n'est pas pleinement actif et vivant, donc évidemment ce qui est au-delà de la colline est plus tentant et plus attirant. L'homme de laboratoire, s'il a l'œil collé au microscope, ne verra jamais l'araignée sur le mur, bien que le tissage de sa vie ne soit pas dans le microscope mais dans la vie du présent.

« Êtes-vous en train de dire, Monsieur, qu'il est vain

de chercher, qu'il n'y a pas d'espoir dans le futur, que le temps est tout entier dans le présent? »

Toute vie est dans le présent, non dans l'ombre d'hier ou dans le lumineux espoir d'un lendemain. Pour vivre dans le présent, on doit être libéré du passé et du futur. On ne trouve rien dans le lendemain, car demain sera le présent, et hier n'est qu'un souvenir. Donc la distance entre ce qui doit être trouvé et ce qui *est* est toujours allongée par la quête, quelque agréable et réconfortante qu'elle puisse être.

La perpétuelle recherche du but de la vie est une des curieuses évasions de l'homme. S'il trouve ce qu'il cherche, cela ne vaudra pas ce caillou sur ce chemin. Pour vivre dans le présent, l'esprit doit cesser d'être divisé par le souvenir d'hier ou par l'espoir d'un brillant demain. Il ne doit avoir en lui ni un demain ni un hier. Ce n'est pas là une assertion poétique, mais un fait. La poésie et l'imagination n'ont aucune place dans le présent actif. Non que vous déniez la beauté, mais l'amour est cette beauté dans le présent, un présent que vous ne pouvez pas trouver en le cherchant.

« Je crois que je commence à voir la futilité des années que j'ai passées dans ma recherche, des questions que je me suis posées et d'autres, et de la vanité des réponses. »

Le commencement est la fin, et le commencement est les premiers pas, et le premier pas est le seul pas.

15

C'était un homme plutôt pesant, plein de curiosité et d'allant. Il avait beaucoup lu et parlait plusieurs langues. Il était allé en Orient et avait quelques notions de philosophie hindoue, ayant lu les livres dits sacrés et ayant suivi quelque vague gourou. Et il était ici maintenant, dans cette petite chambre surplombant la verdoyante vallée qui souriait au soleil matinal. Les sommets neigeux étincelaient et des nuages énormes se montraient au-dessus des montagnes. La journée serait belle, et à cette altitude, l'air était clair et la lumière pénétrante. En ce début d'été le froid du printemps était encore dans l'air. C'était à cette époque de l'année, une vallée tranquille, remplie de silence, du son des cloches des vaches, du parfum des pins et de l'herbe fraîchement coupée. On entendait de nombreux enfants crier et jouer et, tôt ce matin-là, il y avait une joie dans l'air et la beauté des terres était en contact avec les sens. L'œil voyait le ciel bleu, la terre verte, et se réjouissait.

« Il existe une rectitude de comportement — du moins, c'est ce que vous avez dit. Je vous ai écouté au cours de plusieurs années, dans différentes parties du monde, et j'ai saisi votre enseignement. Je n'essaie pas de l'appliquer dans la vie, car il deviendrait un autre idéal, donnant lieu à une nouvelle forme d'imitation, à l'acceptation d'une nouvelle formule. J'en vois le danger. J'ai absorbé beaucoup de ce que vous avez dit, et c'est presque devenu une partie de moi-même, ce qui pourrait entraver une liberté d'action, sur laquelle vous insistez tellement. Ma vie n'est jamais libre et spontanée. Je suis obligé de vivre mon existence quotidienne mais je m'observe toujours attentivement afin de ne pas tomber dans un nouveau mode d'existence que je me serais fabriqué moi-même. Ainsi, il me semble que je vis une double vie ; il y a l'activité ordinaire, la famille, le travail et le reste, et d'un autre côté il y a l'enseignement que vous avez donné, qui m'intéresse profondément. Mais si je l'observais, je serais comme le catholique qui se conforme à des dogmes. Quel est donc le critère d'une existence quotidienne si on veut la vivre sans conformisme ? »

Il est nécessaire de mettre de côté l'enseignement, le maître, et aussi le disciple qui essaie de modifier sa façon de vivre. Il ne reste qu'une seule chose : apprendre. L'action véritable consiste à apprendre. Entre apprendre et agir il n'y a pas de séparation. Lorsque celle-ci existe, apprendre n'est qu'une idée ou un ensemble d'idéaux en fonction desquels a lieu l'action, tandis qu'apprendre est un acte sans conflit. Lorsque cela est compris, quelle est la question ? Apprendre n'est pas une abstraction, une idée : on apprend quelque chose. On ne peut pas apprendre sans agir ; vous ne pouvez rien apprendre à votre sujet, si ce n'est dans l'action. Vous ne pouvez pas d'abord apprendre à vous connaître sur un certain point et agir ensuite en fonction de cette connaissance, car l'action deviendrait imitative, elle serait conforme à une accumulation de connaissances.

« Mais, Monsieur, à chaque instant je suis provoqué par ceci ou cela, et je réagis comme je l'ai toujours fait, ce qui souvent veut dire qu'il se produit un conflit. Je voudrais comprendre la pertinence de ce que vous dites en ce qui concerne apprendre dans ces situations quotidiennes. »

Les provocations sont évidemment toujours neuves, sans quoi elles ne seraient pas des provocations, mais les réactions, qui sont anciennes, sont inadéquates, ce qui donne lieu à des conflits. Vous demandez ce qu'il y a à apprendre à ce sujet. Il y a à apprendre tout ce qui concerne vos réactions, comment elles naissent, quels sont leurs éléments et leurs conditionnements. Il y a donc à apprendre toute la structure et la nature de vos réactions. Apprendre n'est pas accumuler des informations qui dicteront votre façon de réagir aux provocations. Apprendre est un mouvement qui n'est pas ancré dans des connaissances. Si vous l'ancrez ce n'est plus un mouvement. En tant que machine, l'ordinateur, lui, *est* ancré. C'est la différence essentielle entre l'homme et la machine. Apprendre c'est observer, voir. Si l'on se place au point de vue d'une accumulation de connaissances, la vision est limitée et il n'y a rien de neuf en elle.

« Vous dites que l'on peut apprendre ce qui se rapporte à la structure entière des réactions. Cela voudrait dire qu'il y a, dans ce que l'on apprend, un certain volume d'accumulations. Mais par ailleurs vous dites qu'apprendre, dans le sens que vous lui donnez, est d'une telle fluidité que rien ne s'y accumule ! »

L'instruction qu'on nous donne consiste à amasser un certain volume de connaissances, ce que l'ordinateur fait plus vite et avec plus de précision que nous. Quel besoin avons-nous d'une telle instruction ? Les machines assumeront un jour la plupart des activités de l'homme. Lorsque vous dites, ainsi qu'on le dit, qu'apprendre consiste à accumuler un certain volume de connaissances, vous niez, n'est-ce pas, le mouvement de la vie, qui est relations et comportement. Si les relations et le comportement sont basés sur des expériences précédentes, ces relations sont-elles réelles ? La mémoire, avec toutes ses associations, peut-elle établir de vrais rapports humains ? Elle se compose d'images et de mots et lorsque les rapports s'appuient sur des symboles, des images, des mots, peuvent-ils jamais devenir réels ?

Ainsi que nous l'avons dit, la vie est un mouvement en relations et si ces rapports dépendent du passé, de la mémoire, ils sont limités et deviennent très douloureux.

« Je comprends fort bien ce que vous dites, mais je demande encore une fois : qu'est-ce qui vous fait agir ? N'êtes-vous pas en train de vous contredire lorsque vous dites en même temps qu'apprendre consiste à observer toute la structure des réactions et qu'apprendre exclut toute accumulation ? »

La vision de la structure est vivante, mouvante, mais lorsque cette vision fige la structure, celle-ci devient plus importante que la vision, qui, elle, est le phénomène vivant. En cela il n'y a pas de contradiction. Ce que nous disons est que le fait de voir est plus important que le caractère de la structure. Lorsque vous donnez de l'importance à ce que vous apprenez sur ce caractère, et non au fait d'apprendre à regarder, c'est *là* qu'est la contradiction ; car alors voir est une chose et apprendre ce qui se rapporte à la structure est une autre chose.

Vous demandez, Monsieur, quelle est la source de notre action. Lorsque l'action a une source, celle-ci est la mémoire, l'ensemble des connaissances, c'est-à-dire le passé. Nous avons dit que voir vraiment c'est agir ; les deux actes ne sont pas séparés. Cette vision étant toujours neuve, l'action aussi est toujours neuve. Donc voir les réactions quotidiennes c'est faire surgir le neuf : ce que vous appelez spontanéité. A l'instant précis de la colère il n'y a pas de récognition du fait en tant que colère. La récognition se produit quelques secondes plus tard : on se dit qu'on « est en colère ». Cette vision de la colère est-elle encore un choix basé sur du passé ? Si c'est un choix déterminé par un passé, toutes les réactions qu'entraîne la colère — répression, contrôle, indulgence, etc. sont d'origine traditionnelle. Mais lorsque l'action de voir est sans option, seul subsiste le neuf.

Tout cela soulève une question intéressante : celle du besoin que nous avons de provocations pour nous inciter à nous réveiller, pour nous pousser, par une sorte de défi ou d'appel, hors de la routine, de la tradition, de l'ordre établi, soit par des événements sanglants, des révoltes, soit par quelque autre soulèvement.

« Est-il possible, pour l'esprit, de ne pas du tout avoir besoin de provocations ? »

Cela lui est possible lorsqu'il passe par des changements perpétuels, lorsqu'il n'a pas de lieu où se reposer, aucun havre sûr, pas de biens investis, lorsqu'il n'est pas engagé. Un esprit éveillé, un esprit illuminé — quel besoin a-t-il de provocations d'aucune sorte ?

16

La méditation est l'action du silence. Nos actions émanent d'opinions, de déductions, de connaissances, ou d'intentions spéculatives. Elles aboutissent nécessairement à des contradictions agissantes, entre ce qui est et ce qui devrait être, ou ce qui a été. L'action qui émane du passé qu'on appelle le savoir est mécanique. Elle est capable de s'adapter et de se modifier, mais ses racines demeurent dans le passé. Ainsi, l'ombre du passé recouvre toujours le présent. Dans ses rapports, une telle action résulte d'images, de symboles, de conclusions; les relations deviennent alors des choses du passé, extraites de la mémoire, et non des choses vivantes. Les activités issues de ces bavardages, de ce désarroi, de ces contradictions, vont leur chemin, réduisent en morceaux des cultures, des communautés, des institutions sociales, des dogmes religieux. A travers ce bruit incessant, la révolution d'un nouvel ordre social est présentée comme si elle était quelque chose de réellement neuf, mais comme elle procède du connu au connu, elle n'est pas du tout un changement. Il n'y a de changement possible que par la négation du connu; alors l'action n'est pas conforme à une idéation, mais naît d'une intelligence en perpétuel renouvellement.

L'intelligence n'est pas un discernement, ou un jugement, ou une évaluation critique. Être intelligent c'est voir ce qui est. Or ce qui est, change constamment, donc une vision qui se fixe dans le passé cesse d'être intelligente. Le poids mort de la mémoire dicte alors l'action, non l'intelligence de la perception. La méditation consiste à voir tout cela d'un coup d'œil. Et pour voir il faut le silence, et de ce silence découle une action totalement différente des activités de la pensée.

Il avait plu toute la journée et de chaque feuille, de chaque pétale, tombaient des gouttes d'eau. Le torrent avait gonflé et l'eau claire était partie; elle était maintenant boueuse et rapide. Seuls étaient actifs les moineaux, les corneilles et les grandes pies noires et blanches. Les montagnes étaient cachées par les nuages et les collines basses étaient à peine visibles. Il n'avait pas plu depuis quelques jours et l'odeur de la pluie récente sur la terre sèche était une joie. Si vous aviez été dans des pays tropicaux où il ne pleut pas pendant des mois et où chaque jour un brillant soleil chaud parchemine la terre, alors, avec les premières pluies, vous humeriez la fraîche pluie tombant sur la vieille terre stérile, comme une joie entrant jusqu'au plus profond de votre cœur. Mais ici, en Europe, il y avait un parfum d'une autre sorte, plus aimable, moins fort, moins pénétrant. C'était comme une brise qui bientôt passerait.

Le jour suivant, tôt le matin, le ciel était d'un beau bleu et tous les nuages étaient partis. Il y avait une neige étincelante sur les sommets, de l'herbe fraîche dans les vallées, et mille nouvelles fleurs printanières. C'était une matinée pleine d'une indicible beauté; et l'amour était sur chaque brin d'herbe.

C'était un cinéaste très connu, et, ce qui était surprenant, sans vanité. Il était au contraire très amical, prêt à sourire. Ses nombreux films avaient eu beaucoup de succès et maintenant on les copiait. Comme tous les cinéastes très sensibilisés, il s'intéressait surtout à l'inconscient avec ses rêves fantastiques et aux conflits susceptibles d'être mis en film. Il avait étudié les dieux des analystes et avait pris lui-même des drogues à des fins expérimentales.

L'esprit humain est lourdement conditionné par la culture dans laquelle il vit — par des traditions, par des conditions économiques et surtout par des propagandes religieuses. L'esprit refuse énergiquement de s'assujettir à un dictateur ou à la tyrannie de l'État et se soumet pourtant volontiers à la tyrannie de l'Église ou de la Mosquée ou du dernier dogme à la mode qui concerne la psychiatrie. Il invente avec habileté — constatant de telles détresses — un nouvel Esprit Saint ou un nouvel Atman qui ne tarde pas à devenir l'image qu'on est censé adorer.

L'esprit humain qui a produit tant de ravages dans le monde, est fondamentalement effrayé par lui-même. Comme il connaît le point de vue matérialiste de la science, ses succès, son emprise grandissante sur les esprits, le voici qui commence à élaborer une nouvelle philosophie. Les philosophies d'hier cèdent la place à de nouvelles théories, mais les problèmes fondamentaux de l'homme demeurent sans solutions.

Au milieu de la confusion des guerres, des dissensions, des égoïsmes implacables, la mort, élément majeur, est là. Les religions, des plus anciennes aux plus récentes, ont conditionné l'homme en fonction de dogmes, d'espoirs et de croyances qui fournissent à ce sujet des réponses toutes faites. Mais la mort ne trouve pas de réponse dans la pensée, dans l'intellect. La mort est un fait qu'on ne peut pas contourner.

Il vous faut mourir pour savoir ce qu'est la mort, et c'est, apparemment, quelque chose que l'homme ne peut pas faire, car il a peur de mourir à tout ce qu'il sait, à ses espoirs et à ses visions les plus intimes, les plus profondément enracinés.

Il n'y a, en réalité, pas de demain mais beaucoup de demains sont là, entre le maintenant de la vie et le futur de la mort. L'homme vit avec peur et angoisse dans cet intervalle séparateur bien qu'il ait les yeux toujours ouverts sur l'inévitable. Mais il ne veut même pas en parler et décore les tombes avec toutes les choses qu'il connaît.

Mourir à tout ce que l'on connaît — non pas à une forme particulière de connaissance mais à tout le connu — c'est cela la mort. Inviter le futur — la mort — à assumer tout l'aujourd'hui, c'est la mort totale ; alors il n'y a plus de fossé entre vie et mort. Alors mourir c'est vivre et vivre c'est mourir.

Cela, apparemment, est ce que personne n'a envie de faire. Et pourtant l'homme est toujours à la recherche du neuf, tenant toujours ce qui est vieux dans une main, l'autre main tâtonnant dans l'inconnu, en quête du neuf. Il en résulte le conflit inévitable d'une dualité — le moi et le non-moi, l'observateur et l'observé, le fait et ce qui devrait être.

Ce tumulte cesse complètement avec la fin du connu. Cette fin est la mort. La mort n'est pas une idée, un symbole, mais une affreuse réalité à laquelle vous ne pouvez pas échapper en vous accrochant aux choses d'aujourd'hui, qui sont d'hier, ou en adorant le symbole de l'espoir.

On doit mourir à la mort ; alors seulement naît l'innocence, alors seulement le neuf intemporel entre en existence. L'amour est toujours neuf et le souvenir de l'amour est la mort de l'amour.

17

C'était une prairie vaste et luxuriante, entourée de vertes collines. Cette matinée était lumineuse, étincelante de rosée et les oiseaux chantaient aux cieux et à la terre. Dans cette prairie qui avait tant de fleurs, se dressait un arbre, seul, majestueux. Il était grand, harmonieux et avait, ce matin-là, un sens particulier. Il projetait une ombre longue et profonde et entre l'arbre et l'ombre il y avait un silence extraordinaire. Ils communiaient entre eux; la réalité et l'irréalité, le symbole et le fait. C'était un arbre vraiment splendide, avec les feuilles de ce printemps déjà avancé, frémissantes dans la brise, saines, non encore mangées par les vers. Il y avait en lui une grande majesté. Il n'était pas drapé de majesté, il était en soi splendide et imposant. Le soir venu, il se retirait en lui-même, silencieux et indifférent, même si une tempête venait à souffler; et avec le lever du soleil il se réveillait lui aussi et répandait sa luxuriante bénédiction sur la prairie, sur les collines, sur la terre.

Les geais bleus s'appelaient et les écureuils étaient très actifs ce matin-là. La beauté de l'arbre dans sa solitude étreignit notre cœur. Ce n'était pas la beauté de ce que l'on voyait, sa beauté résidait en elle-même. Vos yeux, il est vrai, avaient vu des choses plus belles, mais ce n'était pas le regard habituel qui voyait cet arbre, seul, immense et plein de merveilles. Il devait être très vieux mais vous ne pensiez jamais à lui comme étant vieux. Comme vous alliez vous asseoir à son ombre, le dos contre le tronc, vous sentiez la terre, la puissance de cet arbre et son grand isolement. Vous pouviez presque lui parler et il vous racontait bien des choses. Mais il y avait toujours la sensation qu'il était très loin de vous même lorsque vous le touchiez et que vous tâtiez sa dure écorce sur laquelle grimpaient beaucoup de fourmis. Ce matin-là, son ombre était très marquée et très claire. Elle avait l'air de s'étendre au-delà des collines, vers d'autres collines. C'était, en vérité, un endroit propice à la méditation si vous saviez méditer, un endroit très tranquille. Alors si votre esprit était aiguisé et clair, il devenait, lui aussi silencieux, il ne se laissait pas influencer par tout ce qui l'entourait, il faisait partie de cette lumineuse matinée alors que la rosée était encore sur l'herbe et sur les roseaux. Cette beauté serait toujours là, dans la prairie, avec cet arbre.

C'était un homme d'âge moyen, soigné, et habillé avec goût. Il dit qu'il avait beaucoup voyagé, mais pas pour quelque affaire spéciale. Son père lui avait laissé un peu d'argent et il avait un peu vu le monde, non seulement ce qui se trouvait à sa surface mais aussi tous les objets rares dans les très riches musées. Il dit qu'il aimait la musique et qu'il en jouait à l'occasion. Il avait l'air d'avoir aussi lu de bons livres. Dans le cours de la conversation, il dit : « Il y a tant de violence, de colère et de haine dans l'homme contre l'homme. Nous semblons avoir perdu l'amour, n'avoir aucune beauté en nos cœurs; peut-être n'en avons-nous jamais eu. L'amour est devenu une marchandise courante et la beauté artificielle est devenue plus importante que la beauté des collines, des arbres, des fleurs. La beauté des enfants se flétrit vite. J'ai beaucoup pensé à l'amour et à la beauté. Je voudrais que nous en parlions, si vous pouvez m'accorder un peu de temps. »

Nous étions assis sur un banc auprès d'un torrent. Derrière nous était une ligne de chemin de fer et des collines parsemées de chalets et de fermes.

La beauté et l'amour ne peuvent pas être séparés. Sans amour il n'y a pas de beauté; ils sont liés, inséparables. Nous avons exercé nos esprits, notre intellect, notre habileté, à un tel point, jusqu'à les rendre tellement destructeurs, qu'ils prédominent en violant ce qu'on pourrait appeler l'amour. Bien sûr, le mot n'est pas du tout la chose réelle, pas plus que l'ombre de cet arbre n'est l'arbre. Nous ne serons pas à même de découvrir ce qu'est l'amour si nous ne descendons pas des hauteurs de notre habileté, de nos sophistications intellectuelles, si nous ne sentons pas cette eau brillante, si nous ne sommes pas conscients de cette nouvelle herbe. Est-il possible de trouver cet amour dans des musées, dans la beauté ornée des rituels de l'église, au cinéma, ou sur le visage d'une femme? N'est-il pas important pour nous de découvrir, par nous-mêmes, comment nous nous sommes aliénés des choses les plus ordinaires de la vie? Non pas qu'il faille adorer la nature en névrosés, mais si nous perdons le contact avec la nature est-ce que cela ne veut pas dire que nous perdons aussi le contact avec l'homme, avec nous-mêmes? Nous cherchons la beauté et l'amour au-dehors de nous-mêmes, en des personnes, en des possessions. Elles deviennent bien plus importantes que l'amour. Les possessions signifient plaisir et parce que nous tenons au plaisir, l'amour est banni. La beauté est en nous, pas nécessairement dans les choses qui nous entourent. Lorsque ces choses deviennent de plus en plus importantes, nous leur attribuons de plus en plus de beauté, ce qui réduit d'autant la beauté qui est en nous. Donc, de plus en plus, à mesure que le monde devient plus violent et matérialiste, les musées et toutes les autres possessions deviennent les choses avec lesquelles nous essayons de vêtir notre nudité et de remplir notre vide.

« Pourquoi dites-vous que lorsque nous voyons de la beauté dans les personnes et les choses qui nous entourent, et lorsque nous éprouvons du plaisir, nous diminuons d'autant la beauté et l'amour en nous? »

Toute dépendance développe en nous un sens de

possession, et nous devenons la chose que nous possédons. Je possède cette maison — je *suis* cette maison. Cet homme à cheval qui passe en ce moment, *est* l'orgueil de sa possession, bien que la beauté et la dignité du cheval soient plus vraies que lui. Donc l'asservissement à la beauté d'une ligne, ou au charme d'un visage doit, certes, diminuer l'observateur lui-même ; ce qui ne veut pas dire qu'il soit bon de négliger la beauté d'une ligne ou le charme d'un visage ; mais cela veut dire que lorsque les choses autour de nous prennent une si grande importance, nous tombons, intérieurement, dans la pauvreté.

« Vous êtes en train de dire que si je réponds à ce charmant visage, je suis pauvre intérieurement, et que pourtant, si je ne réponds pas à ce visage ou à la ligne de cet édifice, je suis isolé et insensible. »

L'isolement doit, précisément, entraîner une dépendance, et la dépendance engendre un plaisir, et par conséquent la peur. Si vous ne réagissez pas du tout, c'est que vous êtes paralysé, ou indifférent, ou que vous avez un sentiment de désespoir dû à l'inanité des plaisirs continuels. Nous sommes donc perpétuellement pris dans la trappe du désespoir et de l'espoir, de la peur et du plaisir, de l'amour et de la haine. La pauvreté intérieure s'accompagne du désir de la combler. C'est le gouffre sans fond des opposés dont nous remplissons nos vies et avec lesquels nous créons la lutte de l'existence. Tous ces opposés sont identiques car ce sont les branches d'un même tronc. L'amour n'est pas un produit de la dépendance, et l'amour n'a pas d'opposé.

« La laideur n'existe-t-elle pas dans le monde ? Et n'est-elle pas l'opposé de la beauté ? »

Bien sûr, il y a de la laideur dans le monde, en tant que haine, violence, etc. Pourquoi la comparez-vous à la beauté, à la non-violence ? Nous la comparons parce que nous avons une échelle de valeurs. Nous mettons la beauté en haut et la laideur en bas. Ne pouvez-vous pas considérer la violence non comparativement ? Si vous le pouvez, que se passe-t-il ? Vous découvrez que vous n'avez à faire qu'à des faits, pas à des opinions ou à ce qui devrait être, pas à du mesurable. Nous pouvons faire face à ce qui est, et agir immédiatement; tandis que ce qui devrait être devient une idéologie, une fantaisie, et est donc inutile. La beauté n'est pas de l'ordre du comparable, et l'amour non plus et lorsque vous dites : « J'aime telle personne plus que telle autre », cela cesse d'être l'amour.

« Pour revenir à ce que je disais : étant sensible, on répond tout de suite et sans complications au charmant visage, au bel objet. Cette réaction non pensée glisse imperceptiblement dans un état de dépendance et de plaisir et dans toutes les complications que vous décrivez. La dépendance, par conséquent, me semble inévitable. »

Y a-t-il rien d'inévitable à l'exception peut-être de la mort?

« Si la dépendance n'est pas inévitable, cela veut dire que je peux régler ma conduite, ce qui me ferait agir d'une façon encore plus mécanique. »

Voir que le processus est inévitable c'est être *non* mécanisé. Ce qui devient mécanique c'est l'esprit qui refuse de voir ce qui est.

« Si je vois l'inévitable, je me demande encore où et comment tracer la ligne où m'arrêter. »

Vous n'auriez pas à la tracer : le fait de voir entraîne sa propre action. Lorsque vous vous demandez « Où et comment tracer la ligne où m'arrêter? » c'est une intervention de la pensée qui a peur d'être captive et qui veut être libre. Voir n'est pas ce processus de la pensée, l'acte de voir est toujours neuf, frais et actif. L'acte de penser est toujours vieux; il n'a pas de fraîcheur. Voir et penser appartiennent à deux catégories tout à fait différentes, qui ne peuvent jamais se rencontrer. Ainsi, l'amour et la beauté n'ont pas de contraires et ne proviennent pas d'une pauvreté intérieure. Donc l'amour est au commencement, pas à la fin.

18

Le son des cloches de l'église venait à travers les bois, au-dessus de l'eau et couvrait la profonde vallée. Le son était différent selon qu'il traversait les bois ou qu'il flottait au-dessus des prairies ouvertes, ou qu'il franchissait le torrent rapide et bruyant. Le son, comme la lumière, a la qualité qu'apporte le silence ; plus le silence est profond, mieux on entend la beauté du son. Ce soir-là, avec le soleil juste au-dessus des collines occidentales, le son de ces cloches d'église était vraiment extraordinaire. C'était comme si vous entendiez des cloches pour la première fois. Celles-ci n'étaient pas aussi vieilles que celles des anciennes cathédrales, mais elles apportaient la présence de ce soir-là. Il n'y avait pas un nuage au ciel. C'était la plus longue journée de l'année et le soleil se couchait aussi loin vers le nord que cela lui serait jamais possible.

Nous n'écoutons presque jamais le son d'un aboiement ou du cri d'un enfant ou du rire d'un passant. Nous nous séparons de tout et puis, du centre de notre isolement, nous regardons et écoutons toute chose. C'est cette séparation qui est si destructrice, car c'est en elle que résident tous les conflits et les confusions. Si vous écoutiez dans un silence complet le son de ces cloches, vous le chevaucheriez — ou, plutôt, le son vous transporterait à travers la vallée et au-dessus de la colline. Sa beauté n'est ressentie que lorsque vous et le son n'êtes pas séparés, lorsque vous

en faites partie. Méditer c'est mettre fin à cette séparation, mais pas par un acte de volonté ou par un
désir ou par la recherche de plaisirs auxquels on
n'aurait pas encore goûté.

La méditation n'est pas séparée de la vie ; elle en est
l'essence véritable, elle est l'essence même de la vie
quotidienne. Écouter ces cloches, entendre le rire de
ce paysan qui passe avec sa femme, ou la clochette
sur le vélo de cette petite fille sur le chemin : c'est
toute la vie, et non seulement un de ses fragments,
qu'ouvre la méditation.

« Qu'est-ce que, selon vous, est Dieu ? Dans le
monde moderne, pour les étudiants, les travailleurs et
les politiciens, Dieu est mort. Pour les prêtres, Dieu
est un mot commode qui leur permet de s'accrocher à
leur emploi, à leurs intérêts matériels et spirituels, et
pour l'homme ordinaire — je ne crois pas que cela le
préoccupe beaucoup, sauf à l'occasion de quelque
calamité ou lorsqu'il veut paraître respectable auprès
de ses respectables voisins. Autrement, Dieu a très
peu d'importance. J'ai donc fait un assez long voyage,
afin de savoir quelles sont vos croyances, ou, si vous
n'aimez pas ce mot, afin de savoir si Dieu existe dans
votre vie. J'ai été en Inde et j'ai rendu visite à plusieurs maîtres, là où ils enseignaient entourés de leurs
disciples, et tous croient, et affirment plus ou moins,
qu'il y a un Dieu et ils indiquent le chemin vers lui. Je
voudrais, si vous le permettez, parler avec vous de
cette importante question qui a hanté les hommes des
milliers d'années. »

La croyance est une chose, la réalité en est une
autre. L'une mène à la servitude et l'autre n'est possible que dans la liberté. Il n'y a aucune relation entre
les deux. On ne peut pas abandonner une croyance,
ou la mettre de côté dans le but d'acquérir cette
liberté. La liberté n'est pas une récompense, ce n'est
pas la carotte devant l'âne. Il est important dès le
début de comprendre cela : la contradiction entre
croyance et réalité.

Aucune croyance ne peut mener à la réalité. Toute

croyance résulte d'un conditionnement, ou est le produit d'une peur, ou le résultat d'une autorité réconfortante, extérieure ou intérieure. La réalité n'est rien de tout cela. C'est quelque chose de totalement différent, sans passage allant de ceci à cela. Le théologien part d'un point fixe. Il croit en Dieu, en un Sauveur, ou en Krishna, ou au Christ et il tisse ensuite des théories selon son conditionnement et l'habileté de son esprit. Il est, comme le théoricien communiste, lié à son concept, à sa formule, et ce qu'il tisse est le résultat de ses propres délibérations.

Ceux qui n'y prennent garde sont pris là-dedans, de même que la mouche étourdie est prise dans la toile de l'araignée. La croyance naît de la peur ou de la tradition. Deux mille ou dix mille années de propagande établissent une structure religieuse faite de mots, accompagnée de rituels, de dogmes, de croyances. Le mot, alors, devient extrêmement important, et la répétition de ce mot hypnotise les crédules. Ceux-ci sont toujours disposés à croire, à accepter, à obéir, que la chose offerte soit bonne ou mauvaise, malfaisante ou bienfaisante. L'esprit du croyant n'a pas de curiosité ; il demeure donc confiné dans les limites de la formule ou du principe. Il est semblable à un animal qui, attaché à un poteau, ne peut errer que dans les limites de sa corde.

« Mais sans croyances nous n'aurions rien ! Je crois en la bonté, je crois à la sanctification du mariage ; je crois en l'au-delà et à une évolution vers l'état parfait. Pour moi ces croyances ont une immense importance, car elles me maintiennent dans le droit chemin, dans une morale ; si vous enlevez les croyances je suis perdu. »

Être bon et devenir bon sont deux choses différentes. L'épanouissement de la bonté ne consiste pas à devenir bon. Devenir bon c'est nier la bonté. Devenir meilleur est le défi de ce qui est ; le mieux corrompt le « ce qui est ». Être bon c'est l'être maintenant, dans le présent ; le devenir est un futur, l'invention d'un esprit retenu dans la croyance en une formule faite de comparaisons dans la durée. Dans le mesurable, la bonté disparaît.

Ce qui est important n'est pas *ce* que vous croyez, ce que sont vos formules, vos principes, vos dogmes et vos opinions, mais pourquoi votre esprit se charge de ces fardeaux. Sont-ils essentiels? Si vous vous posez cette question sérieusement, vous verrez que les croyances sont le résultat de la peur ou d'une habitude de soumission. C'est ce fait fondamental qui vous empêche de participer à ce qui *est*, dans l'actuel. C'est cette peur qui fait que l'on s'engage. Se trouver implicitement dans la vie, dans des activités, est naturel; vous êtes *dans* la vie, dans la totalité de son mouvement. Mais être engagé est l'action délibérée d'un esprit qui fonctionne et pense par fragments. On n'est jamais engagé que dans un fragment. Vous ne pouvez pas délibérément vous vouer à ce que vous pensez être le tout, parce que cette considération fait partie d'un processus de pensée, et que la pensée est toujours séparatrice, et fonctionne toujours par fragments.

« Oui, vous ne pouvez pas vous engager sans nommer la chose à laquelle vous vous consacrez, et nommer c'est limiter. »

Votre déclaration n'est-elle qu'une série de mots, ou provient-elle d'une perception que vous venez de réaliser? Si elle n'est qu'une série de mots, elle exprime une croyance qui n'a donc absolument aucune valeur. Si c'est une vérité que vous venez de découvrir, vous voilà libéré et en état de négation. Être contre l'erreur n'est pas une constatation. Toute propagande est fausse et l'homme a vécu de propagandes allant du savon à Dieu.

« Vous me mettez au pied du mur par votre perception, mais n'est-ce pas aussi une forme de propagande — propager ce que *vous* voyez? »

Certainement pas. C'est vous qui vous mettez au pied du mur, là où vous devez voir les choses face à face, telles qu'elles sont, sans persuasion ou influence. Vous commencez à réaliser par vous-même ce qui est réellement en face de vous, vous êtes donc libéré de toute influence, de toute autorité — du mot, de la personne, de l'idée. Pour *voir*, aucune croyance n'est nécessaire. Au contraire, c'est l'absence de croyance qui est nécessaire pour voir. On ne peut voir que dans un état négatif, non dans l'état positif d'une croyance. Voir est un état négatif dans lequel « ce qui est » est seul évident. Une croyance est la formule d'une inaction, qui engendre l'hypocrisie, et c'est contre cette hypocrisie que les jeunes luttent et se révoltent. Mais les jeunes générations se laisseront aller à cette hypocrisie plus tard dans la vie. La croyance est un danger auquel on doit totalement échapper, si l'on veut voir la vérité de ce qui est. Le politicien, le prêtre, l'homme respectable fonctionneront toujours selon une formule, forçant les autres à vivre selon cette même formule ; et les étourdis, les sots, seront toujours aveuglés par leurs mots, leurs promesses, leurs espoirs. L'autorité de la formule devient beaucoup plus importante que l'amour de ce qui est. L'autorité est donc un mal, que ce soit l'autorité des croyances, des traditions ou celle des coutumes, qu'on appelle moralité.

« Pourrais-je être libéré de cette peur ? »

Vous posez une fausse question, ne le pensez-vous pas ? Vous *êtes* la peur ; vous et la peur n'êtes pas deux choses séparées. La séparation n'est autre que la peur elle-même, lorsqu'elle élabore la formule : « Je la conquerrai, je la supprimerai, je la fuirai. » Et c'est cela la tradition ; c'est elle qui distribue le vain espoir que la peur puisse être dominée. Lorsque vous voyez que vous *êtes* la peur, que vous et elle n'êtes pas deux choses distinctes, la peur disparaît. Alors les formules et les croyances ne sont plus du tout nécessaires. Alors on ne vit qu'avec ce qui est, et avec la vérité de ce qui est.

« Mais vous n'avez pas répondu à ma question au sujet de Dieu, n'est-ce pas ? »

Allez dans n'importe quel lieu de culte — Dieu est-il là ? Dans la pierre, dans le mot, dans le rituel, dans les sensations qu'excitent de belles cérémonies ? Les religions ont partagé Dieu : c'est le mien, c'est le vôtre, il y a les Dieux d'Orient et les Dieux d'Occident et chaque Dieu tue l'autre Dieu. Où Dieu peut-il être trouvé? Sous une feuille, dans le ciel, dans votre cœur, ou n'est-ce qu'un mot, un symbole représentant quelque chose qui ne peut pas être mis en paroles? Il est évident que vous devez abandonner le symbole, le lieu du culte, la trame des mots que l'homme a tissée autour de lui. Ce n'est qu'après avoir fait cela, et pas avant, que vous pouvez commencer à vous demander s'il existe ou non une réalité immesurable.

« Mais lorsque vous avez abandonné tout cela, vous êtes complètement perdu, vide, seul — et dans cet état, comment pouvez-vous chercher? »

Vous êtes dans cet état parce que vous prenez pitié de vous-même et se prendre en pitié est une abomination. Vous êtes dans cet état parce que vous n'avez pas vu, en fait, que le faux *est* le faux. Lorsqu'on le voit, il donne une énorme énergie et la liberté de voir le vrai en tant que vrai, non comme une illusion ou un fantasme de l'esprit. C'est cette liberté qui est nécessaire, à partir de laquelle on peut voir s'il existe ou non quelque chose que l'on peut ne pas mettre en paroles. Mais cette liberté n'est pas une expérience, une réussite personnelle. Toutes les expériences de cette sorte donnent lieu à des existences contradictoires et isolées. Ces existences divisées, qu'on appelle le penseur, l'observateur, sont avides d'autres expériences, toujours plus vastes, et ce qu'elles demandent elles l'obtiennent, mais ce n'est pas la vérité.

La vérité n'est ni vôtre ni mienne. Ce qui est vôtre peut être organisé, mis dans un sanctuaire, exploité. Et c'est ce qui se produit dans le monde. Mais la vérité ne peut être organisée. Comme la beauté et l'amour, elle n'est pas du domaine des possessions.

19

Si vous marchez dans la petite ville le long de sa rue unique aux nombreuses boutiques — le boulanger, les accessoires pour photographes, la librairie et le restaurant à ciel ouvert — que vous passez sous un pont, après le couturier, puis sur un autre pont, et que vous allez plus loin que la scierie jusqu'au bois où vous entrez et où vous poursuivez votre chemin le long du torrent, regardant tout ce que vous avez rencontré avec des yeux et des sens pleinement éveillés, mais sans une pensée en votre esprit, vous saurez ce que veut dire être sans séparation. Si vous suivez le torrent et parcourez environ deux kilomètres — toujours sans un seul tressaillement de la pensée — en regardant les eaux impétueuses, en écoutant leur vacarme, en regardant leur couleur : le gris-vert des torrents de montagne, en voyant les arbres et le ciel bleu à travers les branches, et les feuilles vertes — encore sans une seule pensée, sans un seul mot — et alors vous saurez ce que veut dire n'avoir pas d'espace entre vous et le brin d'herbe.

Si de là vous passez à travers les prairies riches et verdoyantes, couvertes de milliers de fleurs de toutes les couleurs imaginables, depuis le rouge vif jusqu'au jaune et au violet, et d'herbe verte, bien propre, lavée par la pluie de la nuit précédente — encore une fois, sans un seul mouvement de la machinerie de la pensée —, alors vous saurez ce qu'est l'amour. Regarder le ciel bleu, les hauts nuages gonflés, les vertes collines aux lignes bien découpées contre le ciel, l'herbe grasse et la fleur qui se fane — regarder sans un mot de la veille ; alors l'esprit est complètement tranquille, silencieux, aucune pensée ne le trouble, l'observateur est totalement absent — et l'unité est là. Ce n'est pas que vous soyez uni à la fleur, ou au nuage, ou aux courbes de ces collines, il y a plutôt un sens de non-être, en lequel la division entre vous et l'autre n'est plus. Cette femme portant des provisions achetées au marché, le grand chien alsacien noir, les deux enfants jouant à la balle — si vous pouvez les voir sans un mot, sans une mesure, sans une association, la querelle entre vous et l'autre n'aura plus lieu. Cet état, sans parole, sans pensée, est l'expansion d'un esprit affranchi des limites et des frontières à l'intérieur desquelles le moi et le non-moi puisent leur existence. Ne croyez pas que ceci soit de l'imagination ou l'essor de fantasmes, ou le désir d'une expérience mystique. Cela n'est rien de tout cela. C'est aussi réel que l'abeille sur cette fleur, que la petite fille sur sa bicyclette, ou que cet homme, sur son échelle, en train de peindre la maison. En cette réalité, tout le conflit d'un esprit isolé parvient à sa fin. Vous regardez sans le regard de l'observateur, vous regardez sans la valeur du mot ou les mesures d'hier. Le regard de l'amour n'est pas le même que celui de la pensée. L'un conduit dans une direction que la pensée ne peut pas suivre, l'autre mène à l'isolement, au conflit, à la douleur. Vous ne pouvez pas partir de cette douleur vers l'autre direction. La distance entre les deux est faite par la pensée, et la pensée ne peut, par aucune enjambée, la franchir.

Comme vous rentrez en passant par les petites fermes, les prairies et la ligne de chemin de fer, vous remarquez qu'hier est parvenu à sa fin : la vie commence où finit la pensée.

« Comment se fait-il que je ne puisse pas être honnête, demanda-t-elle. Bien sûr, je suis malhonnête. Non que je veuille l'être, mais c'est comme si je dégageais de l'improbité. Il m'arrive de dire le contraire de ce que je pense. Je ne vous parle pas de ces conversations polies à propos de rien — où l'on sait que l'on parle uniquement pour parler. Mais même lorsque je suis sérieuse, je me surprends en train de dire des choses, de faire des choses absurdement malhonnêtes. Je l'ai remarqué aussi chez mon mari. Il dit une chose et en fait une autre, totalement différente. Il promet, mais je sais si bien qu'à l'instant même où il parle il n'est pas tout à fait de bonne foi ; et lorsque je le lui fais remarquer il s'irrite et se fâche. Nous savons l'un et l'autre que nous sommes malhonnêtes en beaucoup de choses. L'autre jour il fit une promesse à une personne pour laquelle il avait un certain respect, et cette personne le quitta en croyant à ce qu'il avait dit, mais mon mari ne tint pas parole et trouva des excuses pour démontrer qu'il avait raison et que l'autre avait tort. Vous connaissez la comédie que l'on se joue à soi-même et qu'on joue aux autres — elle fait partie de notre structure et de nos rapports sociaux. Mais elle arrive parfois à un tel point de laideur, qu'on en est profondément troublé — et je suis parvenue à cet état. Je suis bouleversée, non seulement à propos de mon mari mais à mon propre sujet, et aussi au sujet de tous ces gens qui disent une chose, en font une autre et pensent à autre chose encore. Le politicien fait des promesses et l'on sait exactement ce qu'elles valent. Il promet le paradis sur terre — et l'on sait fort bien qu'il créera l'enfer sur terre — et qu'il en attribuera la faute à des facteurs incontrôlables. Comment se fait-il que l'on soit si fondamentalement malhonnête ? »

Que veut dire honnêteté ? Peut-il y avoir de l'honnêteté — c'est-à-dire une perception claire des choses, une vision des choses telles qu'elles sont — lorsqu'on met en jeu un principe, un idéal, une formule exaltée ? La rigueur est-elle possible dans la confusion ? La beauté peut-elle se trouver là où l'on s'appuie sur un critère de beauté ou de rectitude ? Lorsqu'existe cette division entre ce qui est et ce qui devrait être, peut-on être honnête — ou n'y a-t-il qu'une édifiante et respectable malhonnêteté ? Notre éducation nous a appris à vivre entre ce qui est actuel et ce qui pourrait être. Dans leur intervalle — l'intervalle du temps et de l'espace — se situent toute notre éducation, notre moralité, nos luttes. Nous accordons à l'actuel un regard distrait et nous projetons vers l'hypothétique un regard peureux ou un regard d'espérance. Et peut-il y avoir de l'honnêteté, de la sincérité dans cet état, que la société appelle éducation ? Lorsque nous disons que nous sommes malhonnêtes, ce que nous voulons dire essentiellement c'est que nous comparons ce que nous avons dit à ce qui est. Nous avons dit ce que nous ne pensions pas, peut-être pour rassurer quelqu'un provisoirement ou parce que nous étions nerveux ou timides, ou parce que nous avons eu honte de révéler quelque chose qui, en fait, *est*. Ainsi, une appréhension nerveuse ou la peur nous rendent malhonnêtes. Lorsque nous sommes en quête de succès, nous devons être quelque peu malhonnêtes, entrer dans le jeu de l'autre, ruser, tromper pour parvenir à nos fins. Ou encore, nous sommes en position d'autorité, nous avons une situation que nous voulons défendre. Ainsi toute résistance, toute défense sont des formes de malhonnêteté. Être honnête veut dire n'avoir pas d'illusions à votre sujet et n'avoir même pas le germe des illusions — qui est le désir et le plaisir.

« Vous voulez dire que le désir engendre des illusions ! Je désire une maison agréable — il n'y a pas d'illusion à cela. Je désire que mon mari ait une meilleure situation — je ne vois pas d'illusion en cela non plus. »

Dans le désir il y a toujours le mieux, le plus grand, le plus. Dans le désir il y a une notion de mesures, de comparaisons — et la racine de l'illusion est la comparaison. Le bien n'est pas le mieux et toute notre vie se passe à poursuivre le mieux — qu'il s'agisse d'une meilleure salle de bains, d'une meilleure situation ou d'un meilleur dieu. Le mécontentement de ce qui est provoque un changement dans ce qui est — changement qui n'est qu'une continuité améliorée de ce qui est. Une amélioration n'est pas un changement, et c'est cette perpétuelle amélioration — aussi bien en nous-mêmes qu'en la morale sociale — qui engendre la malhonnêteté.

« Je ne sais pas si je vous suis, et je ne sais pas si je veux vous suivre, dit-elle avec un sourire. Je comprends verbalement ce que vous dites, mais où nous conduisez-vous ? Je trouve cela assez effrayant. Si je vivais en toute réalité ce que vous dites, mon mari perdrait probablement son emploi, car dans le monde des affaires il y a une grande duplicité. Nos enfants aussi, sont élevés dans un esprit de compétition, de lutte pour survivre. Et lorsque je me rends compte, d'après ce que vous dites, que nous les entraînons à être malhonnêtes — non ouvertement, bien sûr, mais d'une façon subtile et détournée — je suis effrayée pour eux. Comment pourront-ils affronter ce monde véreux et brutal, s'ils n'ont pas en eux un peu de cette hypocrisie et de cette brutalité ? Oh ! Je sais que je suis en train de dire des choses affreuses, mais, voilà, elles sont dites. Je commence à voir à quel point je suis totalement malhonnête. »

Vivre sans principes, sans idéal, c'est vivre face à face avec ce qui est à chaque minute. Faire réellement face à ce qui est — en un contact total, non à travers des mots ou au moyen d'anciennes associations et de souvenirs, mais directement et en toute réalité — c'est être honnête. Savoir que vous avez menti et ne pas chercher des excuses mais voir le fait lui-même, c'*est* être honnête, et en cette honnêteté il y a une grande beauté. La beauté ne blesse personne. Dire que l'on est un menteur c'est admettre le fait ; c'est admettre qu'une erreur est une erreur. Mais lui trouver des raisons, des excuses et des justifications c'est être malhonnête, et en conséquence c'est se prendre en pitié. La pitié envers soi-même est le côté ténébreux de la fourberie. Cela ne veut pas dire que l'on doive être cruel envers soi-même, mais plutôt attentif. Être attentif c'est prendre la chose à cœur, c'est regarder.

« Je ne m'attendais certainement pas à cela quand je suis venue. J'avais assez honte de ma malhonnêteté

217

et je ne savais pas quoi faire à son sujet. Mon incapacité d'agir me donnait un sentiment de culpabilité, sentiment qui soulève d'autres problèmes, si on lutte contre lui ou si on lui résiste. Je dois maintenant réfléchir soigneusement à tout ce que vous avez dit. »

Si je puis vous le suggérer, n'y pensez pas. Voyez maintenant votre problème tel qu'il est. De là, il se produira quelque chose de neuf. Mais si vous y repensez, vous tomberez de nouveau dans le même vieux piège.

20

Chez l'animal, l'instinct de suivre et d'obéir est naturel et nécessaire à la survivance, mais chez l'homme il devient un danger. Suivre et obéir, pour l'individu, deviennent imitation et conformisme, en fonction de quoi il s'adapte aux structures d'une société qu'il a lui-même construite. Sans liberté, l'intelligence ne peut guère fonctionner. Comprendre, en action, la nature de l'obéissance et de l'acceptation, c'est faire naître la liberté. La liberté n'est pas l'instinct de faire ce qui plaît. Dans une société vaste et complexe une telle liberté ne serait pas possible; d'où le conflit entre l'individu et la société, entre le nombre et l'unité.

Longtemps il avait fait très chaud; la chaleur était étouffante et, à cette altitude, les rayons du soleil pénétraient chacun de vos pores et vous donnaient un peu de vertige. La neige fondait rapidement et le torrent devenait de plus en plus boueux. La grande cascade se précipitait à flots. Elle provenait d'un grand glacier, long peut-être d'un kilomètre. Ce torrent ne serait jamais à sec.

Ce soir-là, le mauvais temps éclata. Les nuages s'amoncelèrent sur les montagnes, il y eut des roulements de tonnerre, des éclairs, et la pluie commença à tomber; on pouvait sentir son parfum.

Ils étaient trois ou quatre dans cette petite chambre

qui avait vue sur la rivière. Ils venaient de différentes parties du monde et semblaient avoir une question commune à poser. La question n'était pas aussi importante que l'état d'esprit où ils se trouvaient, qui en disait long. La question était comme la porte d'une maison aux nombreuses chambres. Ce groupe n'était pas trop sain d'aspect, et était assez malheureux à sa façon. Ils avaient de l'éducation — si l'on comprend ce qu'ils entendent par là — parlaient plusieurs langues et paraissaient assez sales.

« Pourquoi ne devrait-on pas prendre des drogues ? Apparemment, vous êtes contre. Vos amis les plus éminents en ont pris, ont écrit des livres à ce propos, ont encouragé les autres à en prendre, et ont ressenti avec une grande intensité la beauté d'une simple fleur. Nous aussi en avons pris et nous voudrions savoir pourquoi vous semblez être si opposé aux expériences provoquées par des produits chimiques. Après tout, notre organisme est un processus bio-chimique et y ajouter un surplus de produits chimiques pourrait nous faire faire une expérience s'approchant du réel. Vous n'avez, vous-même, pas pris de drogues, n'est-ce pas ? Alors comment, sans les avoir essayées, pouvez-vous les connaître ? »

Non, je n'ai pas pris de drogues. Doit-on s'enivrer pour savoir ce qu'est la sobriété ? Doit-on se rendre malade pour savoir ce qu'est la santé ? Comme plusieurs aspects sont inclus dans la question des drogues, abordons-la avec soin. Quelle est la nécessité de prendre des drogues — des drogues qui promettent une expansion psychédélique de l'esprit, de grandes visions, de l'intensité ? On les prend, apparemment, parce que la clarté intérieure est faible, parce que l'existence est creuse, médiocre, privée de sens ; on se drogue pour dépasser cette médiocrité.

Les intellectuels ont fait de la drogue un nouveau mode de vie. On voit de la discorde partout dans le monde, des névroses contraignantes, des conflits, la misère douloureuse de la vie. On est conscient de l'agressivité de l'homme, de sa brutalité, de son total égoïsme, que nulle religion, nulle loi, nulle morale sociale n'ont pu dompter.

Il y a, dans l'homme, une telle anarchie, et de telles capacités scientifiques. Ce déséquilibre produit un chaos dans le monde. Le fossé infranchissable entre une technologie avancée et la cruauté de l'homme produit de grands bouleversements et de grandes détresses. Tout cela est évident. Alors l'intellectuel qui a jonglé avec différentes théories — Vedanta, Zen, idéal communiste, etc. — n'ayant rien trouvé pour échapper à l'impasse de la condition humaine, se tourne maintenant vers une drogue dorée qui apporterait aux esprits une harmonie et une santé dynamiques. On compte sur les savants pour découvrir cette drogue dorée qui apporterait la réponse complète à tout, et ils la découvriront probablement. Les écrivains et les intellectuels la prôneront comme ayant le pouvoir de mettre fin à toutes les guerres, ainsi qu'ils l'ont fait pour le communisme ou le fascisme.

Mais l'esprit, malgré ses capacités extraordinaires dans le domaine des sciences et de leurs applications, est toujours mesquin, étroit et bigot, et il continuera à l'être, n'est-ce pas ? Vous pouvez avoir une expérience sensationnelle, explosive, au moyen d'une de ces drogues, mais l'agressivité, la brutalité et la douleur, si profondément enracinées dans l'homme, disparaîtront-elles ? Si les drogues étaient capables de résoudre les problèmes complexes et enchevêtrés des relations humaines, il n'y aurait plus rien à dire, car ces relations, la soif de vérité, la fin de la douleur, seraient bien superficielles, pour avoir été résolues par une pincée de drogue dorée.

Cette approche est certainement erronée, n'est-ce pas ? On dit que ces drogues donnent des expériences proches de la réalité, et que, par conséquent, elles éveillent l'espoir, qu'elles sont un encouragement. Mais l'ombre n'est pas la réalité, le symbole n'est pas le fait. Ainsi qu'on le constate dans le monde entier, c'est le symbole qu'on adore, non la vérité. Dire que le résultat de ces drogues est voisin de la vérité, n'est-ce donc pas vanter une contrefaçon ?

Aucune pilule dorée et dynamique ne résoudra nos

problèmes humains. Ils ne pourront être résolus que par une révolution radicale de l'esprit et du cœur de l'homme. Elle exige un dur et constant travail, que l'on sache voir et écouter et que l'on acquière ainsi une très grande sensibilité.

La plus haute forme de sensibilité est un summum d'intelligence, qu'aucune drogue que l'homme invente ne lui accordera jamais. Sans cette intelligence il n'y a pas d'amour et l'amour est relation. Sans amour il ne peut y avoir dans l'homme aucun équilibre dynamique. Cet amour ne peut pas être conféré par des prêtres, par leurs dieux, par des philosophes, ou par la drogue dorée.

Table

Composition réalisée par NORD COMPO

Achevé d'imprimer en avril 2009 en Espagne par
LITOGRAFIA ROSÉS
Gava (08850)
Dépôt légal 1ʳᵉ publication : novembre 1995
Édition 07 – avril 2009
Librairie Générale Française – 31, rue de Fleurus – 75278 Paris Cedex 06

31/3878/1